Wolf

Komm, süßer Tod

Roman

Rowohlt Taschenbuch Verlag

19. Auflage Februar 2008

Originalausgabe
Veröffentlicht im Rowohlt Taschenbuch Verlag,
Reinbek bei Hamburg, März 1998
Copyright © 1998 by Rowohlt Taschenbuch Verlag,
Reinbek bei Hamburg
Redaktion Wolfram Hämmerling
Umschlaggestaltung Notburga Stelzer
(Illustration: Jürgen Mick)
Satz Baskerville (PageOne) bei Dörlemann Satz
GmbH & Co. KG, Lemförde
Druck und Bindung Clausen & Bosse, Leck
Printed in Germany
ISBN 978 3 499 22814 8

ro
ro
ro

I

Jetzt ist schon wieder was passiert.

Aber ein Tag, der so anfängt, kann ja nur noch schlechter werden. Das soll jetzt nicht irgendwie abergläubisch klingen. Ich gehöre bestimmt nicht zu den Leuten, die sich fürchten, wenn ihnen eine schwarze Katze über den Weg läuft. Oder ein Rettungsauto fährt vorbei, und du mußt dich sofort bekreuzigen, damit du nicht der nächste bist, den der Computertomograph in hunderttausend Scheiben schneidet.

Und Freitag der Dreizehnte sage ich auch nicht. Weil es ist Montag der 23. gewesen, wie der Ettore Sulzenbacher mitten in der Pötzleinsdorfer Straße gelegen ist und zum Steinerweichen geheult hat.

Wie die Frau Sulzenbacher ihn gefunden hat, hat sie zuerst geglaubt, es ist wieder der alte Jammer über den Vornamen, den sie ihrem Sohn vor sieben Jahren gegeben hat. Aber dann hat sie den Grund für seine Verzweiflung schon gesehen. Weil neben dem heulenden Ettore ist seine tote Katze Ningnong gelegen.

Ein Rettungsauto mit Blaulicht und Sirene hat die Ningnong zermanscht. Aber wie der Ettore seine tote Katze entdeckt hat, ist die Rettung schon längst über alle Berge gewesen. Die ist mit einem Tempo die Pötzleinsdorfer Straße hinuntergerauscht, daß man von Glück reden muß, daß die schwarze Ningnong das einzige Opfer geblieben ist.

Aber da nützt das ganze Heulen nichts. Die Katze war hin. Ich weiß jetzt nur nicht, ob das mehr Unglück bringt oder weniger, wenn du die schwarze Katze totfährst, die dir über den Weg läuft.

5

Der Sanitäter Manfred Groß hat sich darüber jedenfalls null Gedanken gemacht. Er ist in seinem Rettungsauto mit einem derartigen Zahn unterwegs gewesen, daß er es nicht einmal bemerkt hat, wie er die Ningnong zu einem schwarzen Omelette ausgewalzt hat. Er hat sich ja beeilen müssen, daß er die nächste Kreuzung noch bei Rot erwischt.

Weil bei den Rettungsfahrern ist es heutzutage ein bißchen in Mode, daß sie mitzählen, wie viele Kreuzungen sie bei einer Einsatzfahrt rot nehmen. Ein bißchen eine Rekordmentalität, wie es heute ja überall umgeht. Aber du mußt eines wissen. Der Gesetzgeber erlaubt es nicht, daß die Rettung bei Rot über die Kreuzung fährt. Die Leute glauben, daß es erlaubt ist, weil sie es so oft sehen, wie die Rettung mit Blaulicht und Sirene über eine rote Ampel donnert. Aber eigentlich ist es verboten. Rot ist rot. Auch für die Rettung.

Auch für den Manfred Groß, den seine Rettungsfahrerkollegen seit jeher nur Bimbo genannt haben. Ich weiß nicht, wie er zu dem Namen gekommen ist, aber ich vermute, es hat etwas mit seinen vorstehenden Augen und seinem dicken roten Orang-Utan-Hals zu tun gehabt. Und die Minipli-Frisur hat natürlich alles nur noch schlimmer gemacht. Aber dem Bimbo sind mit seinen achtundzwanzig Jahren schon ein bißchen die Haare ausgegangen, und eine Krankenschwester, die in ihrem früheren Beruf Friseurin war, hat ihm privat für 190 Schilling die kleinen Locken gemacht, praktisch Verschleierung. Aber interessant! Je weniger Haare er am Kopf gehabt hat, um so größer und fester ist sein Schnurrbart geworden.

Jetzt rote Ampel verboten. Ist der Bimbo natürlich erst recht bei Rot über die Kreuzung gefahren. Weil das ist ein bißchen ein Protest von den Rettungsfahrern gewesen. Gegen den Gesetzgeber. Da riskierst du Tag für Tag dein Leben für andere, damit du sie noch rechtzeitig von der Straße kratzt, bevor sie der Geier schnappt, aber glaubst du, der Gesetzgeber unterstützt dich? Glaubst du, ein Danke kommt dem Gesetzgeber über die Lippen? Oder daß er dir erlaubt, bei Rot über die Kreuzung? Vergiß es. Der Gesetzgeber legt dir noch Steine in den Weg. Und er erlaubt dir die rote Ampel nicht. Rein rechtlich gesehen.

Rein praktisch natürlich wieder eine andere Sache. Weil da war die Ningnong noch nicht einmal richtig auf dem Asphalt gelandet, ist der Bimbo Groß schon bei Rot über die nächste Kreuzung gezwitschert.

Weil du darfst eines nicht vergessen. Mit ein paar Sanitätern hat der Bimbo diese Abmachung gehabt. Ein kleines Spiel. Und wieso nicht, wenn es den Arbeitsalltag ein bißchen erleichtert? So ein Rettungsfahrer muß genug leisten, und da sage ich, warum soll man ihm nicht ein bißchen Unterhaltung gönnen, wenn es auch vielleicht – rein rechtlich gesehen – nicht ganz nach dem Buchstaben ist.

Paß auf, das hat so funktioniert: Wenn über den Funk ein Einsatz hereingekommen ist, hat der Bimbo gerufen: «Fünf!» oder «Acht!» oder von mir aus «Drei!», je nach Standort. Und das hat bedeutet, wie viele Minuten der Bimbo zum Unfallort braucht. Und wenn der Sanitäter geantwortet hat «Mehr», dann hat es bedeutet, daß er die Wette angenommen hat. Und wenn dann der Bimbo mit seiner Fahrt länger gebraucht hat, dann hat der Sanitäter einen Hunderter vom Bimbo bekommen, und sonst hat er dem Bimbo den Hunderter gezahlt.

Aber weil es der Bimbo fast immer geschafft hat, haben die Sanitäter die Wetten immer seltener angenommen. Jetzt hat der Bimbo immer haarsträubendere Zeiten anbieten müssen, damit ihm überhaupt noch ein Sanitäter angebissen hat. Und dann hat der Bimbo natürlich fahren müssen auf Teufel komm raus.

Ich sage nur: Südtirolerplatz – Taborstraße acht Minuten zur Hauptverkehrszeit. Das ist ein Selbstmordkommando, und jeder Beifahrer, der das einmal mitmacht, schwört sich, daß er nie wieder mit dem Bimbo wettet, nicht aus Angst um den Hunderter, sondern aus Angst um das nackte Beifahrerleben.

Der Beifahrer vom Bimbo ist an diesem Tag der Hansi Munz gewesen. Montag, das wird der Munz Hansi sein Leben lang nicht vergessen. Nicht weil der Bimbo mit so einem Höllentempo die kilometerlange Gersthofer Straße hinuntergerauscht ist, sondern – aber warte.

Daß der Bimbo jetzt mit Blaulicht und Sirene so selbstmörderisch Richtung Krankenhaus geteufelt ist, ist nicht daran gelegen, daß er mit dem Hansi Munz gewettet hat. Weil der Hansi Munz war so ein Spießer, der hätte nicht einmal um einen Schilling gewettet. Sondern der Bimbo hat eine Spenderleber aus dem Allgemeinen Krankenhaus holen müssen.

«Milka!» hat der Hansi Munz auf einmal gebrüllt, wie der Bimbo mit hundertzwanzig die Währinger Straße hinuntergedonnert ist. «Milka!»

Weil mehr hat er nicht mehr herausgebracht, wie er gesehen hat, daß der Milka-LKW vor dem Spar-Geschäft hält, aber der Bimbo ungebremst auf den Milka-LKW zurauscht. Und obwohl der Hansi Munz gewußt hat, wie empfindlich der Bimbo ist, wenn ihm ein Beifahrer dazwischenredet, hat der Hansi Munz es nicht mehr zurückhalten können und den Bimbo noch schnell gewarnt. Aber vor Schreck hat er nicht mehr herausgebracht als das eine Wort, vielleicht weil man es doch von Kind auf kennt.

Und ob du es glaubst oder nicht: Der Bimbo ist weder auf den Milka-LKW hinaufgekracht, noch hat er den Wagen im letzten Moment doch noch nach links verrissen, und schon gar nicht hat er gebremst.

Sondern er ist mit einem breiten Grinsen im Gesicht rechts vom Milka-LKW, also zwischen dem Milka-LKW und der Spar-Filiale über den Gehsteig gerumpelt. Und wenn ein Rettungsauto zwei Meter breit ist, dann sind zwischen dem Milka-

LKW und der Spar-Filiale vielleicht zweihundert Zentimeter gewesen, mehr bestimmt nicht, und der Munz Hansi hat es schon richtig gespürt, wie ihm links und rechts an den Schultern ein bißchen Haut abgeschürft wird, also richtig körperlich mit dem Autolack mitgefühlt.

Aber das muß man dem Bimbo lassen: Er hat den Wagen wirklich elegant zwischen dem Milka-LKW und der Spar-Filiale durchgeschmuggelt, ich weiß nicht wie, aber irgendwie ist es sich ums Arschlecken ausgegangen.

Der Hansi Munz natürlich Seufzer der Erleichterung. Weil es ist nicht nur der Lackschaden gewesen, warum ihm vorgekommen ist, daß ihm die Gänsehaut von den Oberarmen blättert. Es ist mehr noch das Gefühl gewesen, was der Chef mit ihnen machen wird, wenn sie mit einem Sturz nach Hause kommen.

«Der Junior zieht uns die Haut ab, wenn wir den neuen 740er schon wieder zusammenhauen.»

«Haut ja keiner was zusammen», hat der Bimbo immer noch über seine Aktion gegrinst, wie er schon den Währinger Gürtel gegen die Einbahn hinaufgedüst ist. Dreispurig sind ihnen die Geisterfahrer entgegengekommen. Aber auf der richtigen Gürtelspur drüben einfach zu umständliche Zufahrt zum AKH.

«Und was hättest du getan, wenn beim Milka-Laster die Tür aufgegangen wäre?»

«Den Kopf eingezogen.»

«Du spinnst wirklich.»

«Es geht um die Spenderleber, Munzi.»

«Wenn du so weiterfährst, können wir bald unsere eigenen Organe spenden. Was hättest du getan, wenn jemand aus der Spar-Filiale herausgekommen wäre?»

«Ist ja keiner herausgekommen.»

«Aber wenn!»

«Der hätte doch ein Glück gehabt. Wenn du heute unter ein Auto kommst, kannst du von Glück reden, wenn es ausgerechnet die Rettung ist. Den hätten wir schon wieder auf die Beine gestellt.»

«Du hast vielleicht Nerven.»

«Geh in Pension, wenn du keine Nerven hast. Rettungsfahren ist kein Kindergeburtstag.»

Der Hansi Munz hat gemerkt, daß der Bimbo jetzt nichts mehr hören will, und er selber ist ja auch froh gewesen, daß es sich mit der Spenderleber doch noch ausgeht.

Weil es ist drei Minuten vor fünf gewesen, und sie sind schon praktisch dagewesen. Durch die Aktion mit dem Gehsteig und mit der Einbahn hat der Bimbo bestimmt zwei Minuten herausgeholt.

«Scheiße!» hat der Bimbo geflucht, wie sie schon fast bei der AKH-Einfahrt waren. Weil von der Gegenrichtung, quasi mit dem Strom schwimmend, ist ihnen jetzt der 720er ebenfalls mit Blaulicht und Sirene entgegengekommen.

«Was für ein Arsch fährt heute den 720er?»

Natürlich hat der 720er nicht einen Millimeter nachgegeben. Vielleicht zehn Meter vor ihnen ist er in das Haupttor hineingeschossen.

«Der Lanz.»

«Ausgerechnet.»

Der Bimbo hat es nicht glauben wollen, daß ihn ausgerechnet der alte Waschlappen Lanz beim Rennen um die Spenderleber ausgebremst hat.

«Es geht sich schon noch aus», hat der Hansi Munz versucht, den Bimbo zu beruhigen.

Der Wagen ist noch gar nicht richtig gestanden, ist der Bimbo schon hinübergesprintet. Weil an ungeraden Tagen hat immer der Fahrer die Spenderleber holen müssen, an geraden der Beifahrer, das ist so eine uralte Abmachung zwischen dem Bimbo und dem Hansi Munz gewesen, und heute Montag der 23., das wird der Hansi Munz nie vergessen, und wenn er hundertzehn Jahre alt wird wie die Frau Süßenbrunner, die sie vor zwei Wochen das letzte Mal zum Parkinson-Training gebracht haben.

Es sind ungefähr fünfzehn, zwanzig Meter vom Parkplatz zum Imbißstand hinüber. Weil der Kiosk steht schon am Rasen, gleich neben dem neuen Musikpavillon. Noch über eine Minute Zeit für fünfzehn Meter, da hätte der Bimbo gar nicht so rennen müssen. Zweimal Spenderleber mit Pfefferoni und süßem Senf, das ist sich auf jeden Fall noch ausgegangen vor der Sperrstunde um fünf. Weil da war die Imbiß-Rosi eisern: Wer sich vor fünf anstellt, kriegt noch was, aber ab fünf gibt es kein Anstellen mehr.

Dem Hansi Munz hat schon der Magen geknurrt, und er hat sich jetzt auch geärgert, daß sich der Bimbo hinter dem Lanz anstellen muß. Er hat sich also darauf einrichten müssen, daß es noch ein bißchen dauert, bis er seine heiße Spenderleber kriegt.

Ich weiß auch nicht, diesen Ausdruck hat einmal irgendeiner von den Fahrern aufgebracht, und alle haben es nachgeplappert. Und vor ein paar Jahren hat es sogar die Imbiß-Rosi auf der Kreidetafel neben ihrem Ausgabefenster so angeschrieben: *Spenderleber 32,–, Spenderherz 60,–* (damals, heute schon 39 Schilling für die Spenderleber, und du wirst sehen, ist nur eine Frage der Zeit, bis auch die 40-Schilling-Schallmauer fällt).

Aber natürlich Beschwerden von den Patienten, und der Krankenhausverwalter hat der Rosi so den Kopf gewaschen, daß sie wieder brav *¼ Kilo Leberkäse* und *½ Kilo Leberkäse* auf ihre Kreidetafel geschrieben hat. Aber mündlich hat der Verwalter natürlich nichts machen können, da ist es auf ewige Zeiten *Spenderleber* für den kleinen und *Spenderherz* für den großen Hunger geblieben.

Und der Hansi Munz hat jetzt nach der Aufregung so einen Hunger gekriegt, daß es ihm schon fast leid getan hat, daß er beim Bimbo nur eine Spenderleber bestellt hat. Andererseits, so groß kann der Hunger gar nicht sein, daß dir von einem Spenderherz nicht schlecht wird.

Langweilig ist dem Hansi Munz aber trotzdem nicht geworden. In dem schmalen Durchgang zwischen dem Stand von der Imbiß-Rosi und dem Musikpavillon hat er ein Liebespaar beobachtet, das keinen Leberkäse gebraucht hat. Weil eher Gefahr, daß sich die beiden gegenseitig auffressen.

Die Frau hat einen weißen Schwesternkittel angehabt und war mindestens einen Kopf kleiner als der Mann, der ihr den Kopf in den Nacken gedrückt hat, daß dem Hansi Munz noch beim Zuschauen das Genick weh getan hat.

«Diese geile Sau», hat der Munz Hansi gemurmelt, wie die Krankenschwester ihren Kopf immer noch weiter zurückgebogen hat.

Er hat es jetzt gar nicht mehr eilig gehabt, daß der Bimbo zurückkommt, weil so hat er das Schauspiel in Ruhe genießen können. «So eine geile Sau», hat er immer wieder ausgerufen, obwohl er an und für sich noch nicht in einem Alter war, wo der Mensch zu Selbstgesprächen neigt. Der Hansi Munz war erst knapp über dreißig, die Leute haben ihn ja nur wegen seiner spießigen Art immer viel älter geschätzt. Und natürlich haben ihn seine altmodische Brille und seine dünne Pensionistenfrisur auch nicht gerade jünger gemacht. Und sogar der farblose Pubertätsflaum auf seiner Oberlippe hat bei ihm nicht jugendlich, sondern nur mickrig ausgesehen.

Aber heute zweiter Frühling für den Hansi: «Du geile Sau», ist er auf einmal per du mit der Krankenschwester gewesen, als könnte sie ihn hören, als würde er gar nicht fünfzehn Meter von ihr entfernt in einem geschlossenen Auto sitzen und sie nur durch die Glasscheibe beobachten.

Er hat geschnauft, als wäre er der Krankenschwester genauso nahe wie der große, blasse Mann im dunkelgrauen Anzug, der sich da zwischen dem Imbißstand und dem Musikpavillon mit der Krankenschwester so beschäftigt hat, daß man glauben hätte können: Es ist gar kein Kuß, sondern eine Mandeloperation, aber momentan alle Operationssäle auf der HNO besetzt.

Jetzt ist schon die Windschutzscheibe angelaufen, so heiß ist dem Hansi Munz geworden, wie er beobachtet hat, wie die Krankenschwester langsam, zentimeterweise an der Brust von ihrem Liebhaber hinuntergerutscht ist.

«Was tust du denn jetzt?» hat der Hansi Munz die geile Sau hinter der Glasscheibe gefragt.

Aber im nächsten Augenblick ist er noch schneller bei der Autotür draußen gewesen als vorher der Bimbo. Nicht, weil er es vor Aufregung nicht mehr ausgehalten hat. Da möchte ich jetzt den Hansi Munz nicht schlechter hinstellen, als er ist. Oder Aufregung vielleicht schon, aber nicht in dem Sinn. Sondern Aufregung in dem Sinn, wie es einen Menschen aufregt, der das beobachtet, was der Sanitäter Munz da gerade beobachtet hat.

Weil die Krankenschwester ist immer weiter hinuntergerutscht. Und dann ist der Mann auch hinuntergerutscht. Und beide sind immer weiter hinuntergerutscht. Bis sie reglos auf dem Grasstreifen zwischen dem Imbißstand und dem Musikpavillon gelegen sind.

Das hat den Sanitäter Munz so aufgeregt, daß er die Autotür fast aus den Mercedes-Scharnieren gerissen hat und zu den beiden hinübergestürmt ist.

Aber er hat dann auch nur mehr ihren Tod feststellen können. Also offiziell darf es der Sanitäter ja nicht. Weil Tod feststellen nur Arzt. Aber so ein Pech wie diese Krankenschwester mußt du einmal haben. Jemand hat dem Mann im dunkelgrauen Anzug so gemein ins Genick geschossen, daß die Kugel erst bei der Schwester wieder herausgekommen ist.

Durch das Genick vom Küsserkönig hat es die Kugel nicht weit bis in die Mundhöhle gehabt, und natürlich die beiden

Mundhöhlen sperrangelweit offen, da ist das Geschoß mir nichts, dir nichts noch bis in das Krankenschwesternhirn weitergewandert.

Und siehst du, das ist es, was ich vorher sagen wollte. Der Grund, warum der Munz Hansi das Datum nicht so schnell vergessen wird. Montag, 23. Mai, 17 Uhr und 3 Minuten.

2

Wenn du heute bei der Rettung arbeitest, dann hast du einen Beruf, wo du sagen kannst: Die Leute achten dich dafür. Das ist nicht wie bei einem Nachtclubbesitzer, wo es moralisch nicht ganz ding ist, oder bei einem Autohändler, wo man vielleicht sagt: Die Schüssel rostet schon, wenn du sie im Katalog anschaust. Leben retten, da sagen die Leute: eine schöne Aufgabe.

Und der Brenner hat ja die andere Seite auch gekannt. Weil er war immerhin fast zwanzig Jahre bei der Polizei, und da möchte man meinen, es würde einem Polizisten auch eine gewisse Achtung gebühren, weil er für die Gesellschaft seinen Beitrag leistet. Aber nein, da ist die Gesellschaft oft dem Polizisten gegenüber ein bißchen ungerecht. Die Gesellschaft geht her und gibt dem Polizisten Spitznamen, wo man im Grunde genommen nicht von Achtung reden kann. Ich weiß nicht, woran es liegt, vielleicht ein bißchen die Angst, der Polizist könnte hergehen und die Gesellschaft verhaften. Und fertig ist der Polizeistaat, nur weil man zu einem Bullen ein freundliches Wort gesagt hat. Aber das ist bestimmt nicht der Grund gewesen, wieso der Brenner nach neunzehn Jahren Polizei alles hingeschmissen hat. Unter uns gesagt: Ich glaube, er hat selber nicht genau gewußt, wieso. Weil er war damals vierundvierzig, und das ist natürlich ein Alter, wo der Mann gern ein bißchen etwas Unüberlegtes tut.

Er hat dann eine Zeitlang als Detektiv gearbeitet, und da ist es natürlich mit der Achtung ganz aus. Da hat er auf einmal gemerkt, daß er als Polizist gar nicht so schlecht dagestanden ist. Polizist vielleicht nicht ideal, aber Detektiv ganz aus. Und es hat Tage gegeben, da hat er sich gar nicht sagen getraut, wie er sein Geld verdient, praktisch Schmutzwäsche.

Seinem alten Kollegen Fadinger, den er vor einem halben Jahr zufällig am Wiener Südbahnhof getroffen hat, hat er es natürlich schon gesagt. Und der hat ihm erzählt, daß er schon vor zehn Jahren von der Kripo zum Blutspendedienst gewechselt ist. Weil eine ruhige Kugel, und die Zulagen besser als bei der Polizei. Und wie der Fadinger erwähnt hat, daß sie bei der Kreuzrettung gerade einen Fahrer suchen, hat der Brenner sich gleich interessiert. Er hat auch nichts dagegen gehabt, nach Wien zu übersiedeln. Weil seit er bei der Polizei aufgehört hat, hat er sowieso nicht mehr richtig gewußt, wo er daheim ist.

Solange er noch bei der Polizei war, hat er seine Buwog-Wohnung gehabt, Bundesangestelltenwohnung, günstige Miete und alles. Und wie er vor zweieinhalb Jahren bei der Polizei weg ist, Wohnung natürlich auch weg. Und seither ist er immer ein bißchen herumzigeunert. Einmal hier ein Mord mit Unterkunft, einmal dort ein Betrug mit Firmenhotel.

Ich möchte nicht sagen, daß ihn diese Situation besonders gestört hat. Im Gegenteil, es hat auch seine Vorteile gehabt. Aber die Stelle bei der Rettung natürlich auch ihre Vorteile, sprich: 70-Quadratmeter-Dienstwohnung.

Die Wiener Rettungszentrale ist in der Hinsicht eine wunderbare Konstruktion gewesen. Das war so ein riesiger Innenhof, von dem dreißig Garagen weggegangen sind, dazu noch die Werkstatt und die Bereitschaftsräume. Und in der Mitte vom Hof ein prächtiger Glaspavillon, das war die Funkzentrale. Und über den Garagen die Dienstwohnungen für die Fahrer. Da hast du in der Freizeit in den Hof hinunterschauen können, wie deine Kollegen arbeiten müssen.

Ich glaube, die Wohnung ist der Hauptgrund gewesen, warum der Brenner ohne langes Überlegen die Stelle als Rettungsfahrer angenommen hat. Und nicht das Ansehen. Weil wenn du heute siebenundvierzig Jahre alt geworden bist ohne gewaltiges Ansehen, dann, auf deutsch gesagt: scheißt du die restlichen Jahre auch darauf.

Obwohl der Brenner ja noch ein bißchen in der Zeit aufgewachsen ist, wo es geheißen hat: Nicht nur an die Pension denken, nicht nur der Bausparkredit zählt und die Lebensversicherung. Sondern auch ein bißchen die sinnvolle dings. Ja, du lachst heute darüber, aber das ist eben damals so eine Modeerscheinung gewesen. Das mußt du dir so vorstellen, wie man heute die Rollschuhe hat, oder noch besserer Vergleich mit dem Mountainbike. So haben früher die Leute auch ihre Sachen gehabt.

Und ein bißchen eine Rolle könnte es auch gespielt haben, daß der Brenner selber voriges Jahr von den Kreuzrettern gerettet worden ist. Ihm ist damals der kleine Finger abgehackt worden, das ist sogar groß in der Zeitung gestanden. Gott sei Dank wieder angenäht. Aber viel hätte nicht gefehlt, und er wäre verblutet. Da ist er dem Totengräber in letzter Sekunde noch einmal von der Schaufel gehüpft.

Nur damit du verstehst, warum der Brenner auf einmal in Rettungsuniform im Bereitschaftsraum sitzt. Er hat ein bißchen die *Bunte* durchgeblättert, weil es ist einer von diesen furchtbaren Tagen gewesen, wo einfach nichts los war. Anscheinend in der ganzen Stadt kein Herzinfarkt, kein Unfall, kein Selbstmord, kein gar nichts. Und die Saison mit den Schülerselbstmorden hat auch noch nicht so richtig angefangen, weil Zeugnisverteilung erst in fünf Wochen.

Und das Donauinselfest auch erst in ein paar Wochen. Wo du halb Wien, also fast eine Million Menschen, mit Alkoholvergiftung einliefern mußt. Die Sozis haben schon überlegt, daß sie für ihr Fest einfach die Donau abpumpen und statt dessen Freibier einlassen, da könnten sie sich das ganze Buden-Aufstellen sparen und die Leute einfach zum Ufer treiben, aber leider technisch noch nicht machbar.

Aber heute nicht einmal eine Spur von so einem Spaß. Und an solchen Tagen ist es in der Rettungszentrale schon manchmal zum Verzweifeln. Zehn, zwanzig erwachsene Männer sitzen im Bereitschaftsraum herum und langweilen sich zu Tode.

«Zufälle gibt es», hat der Sanitäter Marksteiner auf einmal gemurmelt und auf die Seite in der *Bunten* gedeutet, die der Brenner gerade gelesen hat. Der Brenner hat zwar so getan, als würde er nicht bemerken, daß der Marksteiner mit ihm redet, aber das ist für den nur ein Grund gewesen, daß er die Lautstärke verdoppelt: «Schau einmal auf die Uhr, Brenner!»

«Kennst du die Uhr noch nicht?» Wie der Brenner das gesagt hat, hat er aber schon auf die Wanduhr geschaut, eine weiße Küchenuhr mit schwarzen Zeigern, die bestimmt schon ihre dreißig Jahre auf dem Buckel gehabt hat. Da muß sich jemand die Mühe gemacht und in die neue, supermoderne Rettungszentrale die alte Küchenuhr gehängt haben, die jetzt Punkt zwölf angezeigt hat.

«Zwölf Uhr mittags!» hat der Sanitäter Marksteiner triumphiert.

«Und?»

«Und du liest gerade einen Artikel über die Stephanie von Monaco.»

«Und?»

«Und der ihre Mutter hat in dem Western *Zwölf Uhr mittags* gespielt!»

Weil wenn du in so einem Bereitschaftsraum herumsitzt und auf einen Notfall wartest, dann ist dir bald ein Zufall gut genug, um dir ein bißchen die Zeit zu vertreiben.

«*Weibliche* Hauptrolle», hat sich der kleine Berti in die Unterhaltung eingemischt. Der ist ein Meter zweiundneunzig groß gewesen und dünn wie ein Bleistift, aber sein Leben lang Spitzname ‹kleiner Berti›.

«Die männliche wird sie gespielt haben!» ist ihm der Marksteiner über den Mund gefahren und hat die Unterhaltung damit genauso schnell beendet, wie er sie angezettelt hat. Weil der kleine Berti ist nur ein Achttausender gewesen, Arbeitsplatz-Aktion 8000 vom Ministerium. Und von einem Achttausender kann sich ein Berufsfahrer nicht gut dazwischenreden lassen.

Die Arbeitsplatz-Aktion war auch der Grund, warum der kleine Berti den Brenner manchmal ein bißchen genervt hat. Obwohl er bestimmt einer von den Netteren war. Einer, der manchmal sogar ohne Sonnenbrille ins Auto gestiegen ist. Aber er war mit seiner Stelle unzufrieden, und seit er gehört hat, daß der Brenner früher Detektiv war, hat er sich in die Idee verliebt, daß er zusammen mit dem Brenner ein Detektivbüro aufmachen könnte.

Und heute ist wieder genau so ein Tag gewesen, wo es gefährlich war, daß er damit anfängt. Weil die Zeit ist einfach nicht vergangen. Um Viertel nach zwölf immer noch kein Notfall. Und um halb eins immer noch kein Notfall.

Der Bimbo hat sein Goldkettchen jetzt schon zum drittenmal von seinem roten Fitness-Hals genommen und mit dem Fingernagel den Dreck zwischen den einzelnen Gliedern herausgestochert. «Ein Wahnsinn, wie schnell die kreuzgeschweißten Glieder verdrecken!» hat der Bimbo so zornig geschrien, als müßte er einem Zivildiener das Autowaschen beibringen.

Aber es ist nur sein Goldkettchen gewesen, das er zusammengeschnauzt hat. Die Zivildiener hat man ihnen ja schon vor zwei Jahren weggenommen. Seither ist es bergab gegangen mit dem Vorsprung gegenüber dem Rettungsbund. Aber der Bimbo ist trotzdem froh gewesen, daß er keinen von diesen Schlappschwänzen mehr gesehen hat.

«Ich frage mich, wo der ganze Dreck eigentlich herkommt!» hat der Bimbo sein Goldkettchen zusammengeschnauzt. «Wenn du dir vorstellst, daß dieser ganze Dreck in der Luft ist! Und wir schnaufen diesen Dreck die ganze Zeit ein!»

«Vielleicht ist er gar nicht in der Luft», hat sich der kleine Berti jetzt in die Unterhaltung zwischen dem Bimbo und seinem Goldkettchen eingemischt.

Wie das Ministerium den Kreuzrettern die Aktion 8000 und die Zivildiener gestrichen hat, sind ein paar von den Achttausendern regulär übernommen worden. Aber intern sind sie natürlich ewig die Achttausender geblieben. Und da war der Spitzname vom kleinen Berti wieder ein Vorteil, weil die anderen fünf haben überhaupt keinen Namen gehabt, sondern einfach Sammelname Achttausender.

Dem Bimbo ist die Röte vom Hals in den Schädel hinaufgestiegen, als hätte ihn der Berti weiß Gott was geheißen. Weil du darfst eines nicht vergessen. Der Bimbo ist jetzt schon einein- halb Stunden im Bereitschaftsraum gesessen. Eineinhalb Stunden keine rote Ampel. Nicht einmal eine Scheißhäusltour. Und da stauen sich natürlich gewisse Aggressionen.

«Was redest du da, du junger Hupfer?» hat der Bimbo gejault, obwohl er höchstens fünf Jahre älter als der kleine Berti gewesen ist. «Wo soll denn der Dreck sonst herkommen? Glaubst du, den sondert das Goldkettchen ab?»

«Oder dein Hals vielleicht.»

Jetzt aber. Das Blöde war, daß die anderen alle gelacht haben. Und der Bimbo hat genau gewußt: Schlägerei im Dienst strengstens verboten. Jetzt hat er sich nur langsam das Goldkettchen um den Hals gelegt. Und dann hat er gesagt: «An einem Achttausender vergreif ich mich ja nicht.»

Danach ist wieder fünf Minuten Ruhe gewesen, und der Brenner hat in aller Stille die Sexgeschichten im englischen Königshaus studieren können. Aber dann wieder der Marksteiner: «Ich sag ja immer, das kommt davon, daß sie soviel reiten, da werden die Blaublütigen so geil davon.»

Der Marksteiner hat diese unmögliche Gewohnheit gehabt. Der hätte sich selber nie eine Illustrierte vom Stapel genommen, und wenn er den ganzen Tag im Bereitschaftsraum gesessen wäre. Aber kaum daß ein anderer einen Artikel gelesen hat, hat er seinen Senf dazugeben müssen.

Um Viertel vor eins hat der Brenner die *Bunte* zurückgelegt, und wie er zehn Minuten später auf die Küchenuhr geschaut hat, ist es immer noch Viertel vor eins gewesen. Aber nicht daß du glaubst, die Küchenuhr ist stehengeblieben. Weil die hat die Putzfrau jeden Morgen aufgezogen, da hat es gar nichts gegeben. Nur die innere Uhr vom Brenner hat vor Langeweile langsam den Geist aufgegeben.

Und um eins immer noch kein Notfall. «Das ist in unserem Job ja der Wahnsinn», hat der Bimbo sein Schweigen gebrochen. «Daß wir immer in der schlechten Luft draußen sind, immer mitten im Verkehr. Ich sehe es ja an meinem Goldkettchen. Aber weißt du, was ich dir sage? Mein neues, das ich gestern angehabt habe, das verdreckt überhaupt nicht. Das nimmt den Dreck nicht an!»

Weil der Bimbo hat sich erst letzte Woche ein neues Goldkettchen gekauft, das ist dreimal so teuer gewesen wie das teuerste von seinen alten. Das dünnste und trotzdem das teuerste! Und heute der erste Tag, wo er zur Abwechslung eines von den alten getragen hat. Da hat er zum Ausgleich wenigstens reden müssen über das neue: «Weil es verdrecken nur die kreuzverschweißten! Aber mein neues ist ja nicht kreuzverschweißt! Das ist händisch genietet! Da kannst du ein 500-Kilo-Gewicht daran aufhängen, und es reißt nicht! Und Dreck nimmt es auch keinen auf!»

«Warum ziehst du dann den alten Plunder überhaupt noch an?» hat sich der alte Lanz jetzt eingemischt, du weißt schon, der ihn vor zwei Wochen bei der Imbiß-Rosi ausgebremst hat.

Und der Bimbo gleich wieder rot wie eine Ampel: «Was heißt alter Plunder? Glaubst du, ich schmeiß die andern jetzt alle weg? Nur weil sie kreuzverschweißt sind? Immer schön abwechseln. Wie bei den Weibern.»

Der alte Lanz ist sofort ruhig gewesen. Weil natürlich der Bimbo und die Lanz-Tochter. Da ist seit ein paar Tagen geredet worden.

«Jaja. Es ist nicht jeden Tag Sonntag», hat sich der Hansi Munz zu Wort gemeldet, aber mehr so im Halbschlaf. «Einmal ist soviel los, daß man kaum mit der Arbeit nachkommt, und bevor du das ganze Selbstmörderhirn von der Vakuummatratze geputzt hast, mußt du schon einen Herzinfarkt hinaufpacken.»

«Wann putzt du schon die Vakuummatratze?»

«Und dann», hat sich der Hansi Munz vom Bimbo nicht unterbrechen lassen, «gehen sogar die Scheißhäusltouren aus.»

Jetzt zur Erklärung: Die aufregenden Einsätze sind ja immer in der Minderheit. Die Scheißhäusltouren sind es, mit denen man im Normalfall den Tag verbringt: Eine Oma zur Dialysestation liefern und zwei Stunden später wieder abholen. Einen Patienten vom Wilhelminenspital zu den Barmherzigen Brüdern liefern und dafür einen anderen von den Barmherzigen Brüdern ins AKH. Oder einen Container mit Spenderblut von der Blutspendezentrale ins Unfallkrankenhaus. Oder Parkinson-Training. Oder Altengymnastik. Weil da gibt es die Leute mit den Zusatzversicherungen, bei denen mußt du schon froh sein, wenn sie sich nicht von der Rettung ins Kaffeehaus liefern lassen.

Die Glocke ist ja viel seltener gegangen als die Luftpost, mit der sie aus der Funkzentrale die Formulare für die Routinefahrten herübergeschossen haben. *Routinefahrten.* Ich will nicht immer Scheißhäusltouren sagen, ist eigentlich kein schönes Wort. Und nur die Einsatzfahrten sind von der Funkzentrale mit der fürchterlich schnarrenden Glocke signalisiert worden, und wenn dich dann der Junior erwischt hat, daß du nicht im Laufschritt hinaus bist, hat es ein Donnerwetter gegeben, frage nicht.

Der Junior hat den Betrieb schon vor fünf Jahren von seinem Vater übernommen, und inzwischen selber nicht mehr der Jüngste, haben aber immer noch alle Junior zu ihm gesagt. Aber wenn er dich ohne Laufschritt erwischt hat, dann hast du schnell gewußt, wer hier der Chef ist.

Ein Donnerwetter vom Junior wäre aber noch besser gewesen als dieses elendige Herwarten, daß irgendeinem verschwitzten Manager in dieser Stadt endlich die Pumpe durchbrennt. Aber nichts da. Heute weder Glocke noch Luftpost. Heute nur Stephanie von Monaco und Buckingham Palast. Der Brenner ist schon bei der dritten *Bunten* gewesen, und während der ganzen Zeit ist nicht ein einziges Mal die Luftpost oder die Glocke gegangen.

Aber dafür die Sprechanlage: «Brenner, kommen Sie in die Funkzentrale!»

Dienstlich haben sie sich ja siezen müssen, besonders am Funk, weil internationale Funkregeln und alles. Und Sprechanlage natürlich schon ein bißchen wie Funk.

Normalerweise hat man sich nicht gefreut, wenn man in die Funkzentrale zitiert worden ist. Die Kollegen in der Funkzentrale waren ein bißchen, wie soll ich sagen: militärischer als das Militär.

Aber heute war der Brenner froh um die Abwechslung. Wie der fette Buttinger ihn am Überwachungsbildschirm gesehen hat, hat er ihm gleich die Tür aufgesummt, und dann hat der Brenner ihn schon gehört: «Brenner! Fahrerwechsel! Der Junior braucht den Kollegen Groß als Fahrer.»

Weil offiziell hat der Bimbo immer noch Groß geheißen, und heute war der Brenner mit dem Bimbo zusammengespannt, jeden Tag ein anderes Duo, je nach Rotationsprinzip. Und abwechselnd Fahrer oder Beifahrer, das war eine Neuerung, die der Junior eingeführt hat. Aber der Junior hat einen Narren am Bimbo gefressen, der ist grundsätzlich nur mit ihm gefahren. Und es haben schon die Spatzen von den Dächern gepfiffen, daß der Bimbo der nächste sein wird, der zum Notarztwagenfahrer befördert wird.

«Sie fahren ab sofort mit dem 770er. Mit dem Sanitäter Schimpl», hat der fette Buttinger noch kommandiert, und dann auf einmal in einer ganz anderen Tonart: «Rettungszentrale?»

Weil das hat dem orangen Notruftelefon gegolten. Und im selben Moment hat der fette Buttinger schon die Glocke gedrückt. Und im nächsten Augenblick hat er aus einem halben Zentimeter Entfernung dem Brenner ins Gesicht gebrüllt: «Hoppauf, Brenner! Laufschritt!»

Und jetzt hat der Brenner erst kapiert, daß er durch den Fahrerwechsel von der siebten an die erste Stelle im Rotationsrad vorgerutscht ist und daß er mit seinem neuen Sanitäter den Notfall übernehmen muß.

Der hat schon im Wagen gewartet, wie der Brenner endlich angerannt gekommen ist. Er hat schon gefürchtet, daß ihm der Schimpl gleich einen Vortrag hält, weil das ist einer von diesen Menschen gewesen, die zu allem und jedem ihre ungefragte Meinung sagen. Und dann wirklich sofort ein Vortrag, aber nicht über die Langsamkeit vom Brenner.

Weil über den Funk ist jetzt «Franz-Josefs-Bahnhof. 15s» gekommen, und da hat der Schimpl sofort dem Brenner das dahinterliegende Problem erklärt: «Es ist ein Wahnsinn, wie viele Sandler wir in dieser Stadt haben. Jede zweite Tour ist das jetzt schon bald. Daß wir Taxi für einen Herrn Sandler spielen dürfen. Heute darf man ja nicht mehr Sandler sagen. Heute muß man Obdachloser sagen.»

Du mußt wissen, daß 15 s der Funkcode für einen bewußtlosen Sandler gewesen ist. Das war der einzige Funkcode mit einem s, sonst nur Zahlen, weil wo auf der Welt hat man schon ein s in einem Funkcode gesehen. Aber «15» Bewußtlosigkeit, und «s» war nur der heimliche Hinweis auf einen Sandler.

An und für sich sind solche Hinweise nicht erlaubt, nur Hinweise auf die Art des Notfalls, nicht auf die Art der Person, das wäre vom humanitären dings her international nicht in Ordnung. Andererseits doch eine gewisse Orientierungshilfe für den Fahrer, wenn er das s dabeihat. Weil sonst riskierst du bei 15 jedesmal Kopf und Kragen für einen Bewußtlosen. Und wenn du dann ankommst und es ist nur ein besoffener Sandler, mußt du als Rettungsmann aufpassen, daß du ihm nicht selber noch mit dem Schuh ein kleines 15 zufügst.

Das klingt vielleicht brutal, aber du darfst die Säfte nicht vergessen, die du ausschüttest, wenn du voll einsatzmäßig mit Blaulicht und Sirene zufährst. Angefangen vom Adrenalin bis zum – aber ich bin kein Arzt. Ich weiß nur, daß diese Säfte dich aggressiv machen. Weil du brauchst die Aggression, wenn du über ein paar rote Kreuzungen teufeln und überall die Autos und Radfahrer und Fußgänger auf die Seite stauben mußt.

Und wenn du dann auf einen besoffenen Sandler triffst, für den du dein Leben aufs Spiel gesetzt hast, geht dir natürlich kurz das Geimpfte auf.

Darum hat der Junior irgendwann entschieden, sagen wir lieber das s dazu. Besser, man fährt gemächlich, wenn es ein Sandler ist, und ist dafür nicht so aggressiv. Ich glaube, es ist damals gewesen, vor fünf, sechs Jahren, wie die Sandlergeschichte mit der Kopfverletzung war. Wo die Zeitung darüber geschrieben hat.

Da ist der Besoffene auf die Gehsteigkante gefallen, und dann ist in der Zeitung gestanden, der Rettungsfahrer hätte ihn ein bißchen. Praktisch ungeschickt angegriffen. Sprich Absicht. Ich persönlich kann es mir nicht vorstellen, und man darf heute beileibe nicht alles glauben, was in der Zeitung steht.

Aber der Junior natürlich immer auf die Öffentlichkeit bedacht. Und ist auch gut so, weil ohne Spenden kannst du zusperren. Blutspenden, Organspenden, Geldspenden, alles. Jetzt hat er das s für den Funkcode erfunden. Und ich muß sagen, großartige Erfindung. In hundert Jahren wird man vom Junior vielleicht nichts mehr wissen, nur noch, daß er das s erfunden hat. Weil seither sind die Fahrer viel weniger aggressiv, wenn sie einen Sandler fahren müssen.

Deshalb hat der Schimpl jetzt schon bei der Anfahrt sein Thema gehabt, weil er eben vom s her gewußt hat, wen sie da antreffen werden. «Dabei werde ich dir einmal was sagen: Gib so einem Obdachlosen ein Obdach, und er zündet dir schon am ersten Tag die Hütte an. Und wieso? Weil er es nicht aushält unter einem Obdach. Da soll keiner zu mir kommen und von den armen Obdachlosen reden. Weil früher hat man Sandler gesagt. Und das ist immer noch der bessere Ausdruck, wenn du mich fragst. Weil der Sandler will im Sand schlafen. Und Obdach will er nicht wirklich. Also warum soll ich nicht Sandler sagen?»

«Kannst eh ruhig Sandler sagen.»

«Sag ich auch.»

Der Brenner hat einen Moment gehofft, daß er ihm mit seinem grantigen Kommentar die Energie abgedreht hat. Aber nicht beim Schimpl:

«Und noch was sag ich. Weil so weit kommen wir noch, daß ein Mensch heute nicht mehr sagen darf, was er denkt.»

«Du sagst es eh immer.»

«Ich sag es immer.» Der Schimpl hat geglaubt, das ist ein Kompliment gewesen, und um so eifriger hat er weitergeredet. Er hat dem Brenner erklärt, daß es verschiedene Typen von Sandlern gibt. Als hätte der Brenner das nicht selber gewußt. Als hätte der Brenner nicht selber jeden Tag ein paar Sandler von der Straße aufklauben müssen. Aber der Schimpl hat sie ganz genau unterschieden wie ein Schmetterlingssammler. Je nach Ursache: ungünstige Familie, ungünstige Scheidung, ungünstiger Charakter, ungünstiger Zufall.

Der Brenner ist dann richtig froh gewesen, wie er den Franz-Josefs-Bahnhof vor sich gesehen hat. Vor lauter Erleichterung ist er bei der letzten Kreuzung auf einmal trotz s bei Rot drübergefahren. Wie diese verwirrten Autofahrer, die es verschlafen, wenn die Ampel auf Grün springt, und erst bei Rot losfahren.

«S!» hat der Schimpl hysterisch gerufen, weil der hat sich sein Leben so vernünftig eingeteilt, daß er überhaupt kein Verständnis dafür gehabt hat, daß ihn der Brenner womöglich unter einen LKW chauffiert. Und dann Gehirnlappenquetschung und dann enthemmt und dann Sexwahn und dann schuldig geschieden und dann Sandler. Haben wir alles schon gehabt!

Aber Gott sei Dank ist jetzt keine Zeit mehr gewesen, um das zu diskutieren.

Weil der Bahnhofsvorstand hat ihnen schon gedeutet. Ein alter Eisenbahner mit Zähnen wie dieser französische Schauspieler. Sonst kannst du mich ja mit französischen Filmen jagen, wo oft zehn Minuten nichts geredet wird. Aber der war gut, der immer den Don Camillo gespielt hat, und wenn er gelacht hat: Zähne wie ein Pferd.

Aber der Bahnhofsvorstand hat nicht gelacht, sondern ziemlich überrascht gefragt: «Was tut denn ihr da?»

«Wir sind angerufen worden von der Gepäckaufbewahrung. Ihr habt schon wieder einen Sandler im Schließfach.»

«Nicht von der Gepäckaufbewahrung. Ich habe selber angerufen, vor einer Viertelstunde schon! Das passiert jetzt bald jeden Tag, daß die Lausbuben einen Sandler in ein Schließfach einsperren.»

«Einsperren! Daß ich nicht lache», hat der Schimpl protestiert. «Die legen sich doch selber in die Schließfächer. Das ist ein billiger Schlafplatz für die.»

«Aber zusperren tun sie nicht selber», hat der Eisenbahner dem Schimpl das Wort abgeschnitten.

«In manchen Ländern gibt es schon gar keine Schließfächer mehr wegen der Bombengefahr», hat es der Schimpl immer noch besser gewußt. «Und bei uns wird es auch bald keine mehr geben, weil jedes Schließfach zu einem Hotelzimmer für einen Herrn Obdachlosen umgebaut wird.»

Jetzt ist es dem Brenner langsam peinlich geworden, und er hat zu dem Eisenbahner mit den Don-Camillo-Zähnen gesagt: «Das ist den Rotzbuben die 20 Schilling wert, daß so ein armer Schlucker stundenlang Todesangst hat.»

«Meistens hört ihn einer von meinen Männern klopfen und läßt ihn gleich wieder heraus. Dann ist es nicht so schlimm Aber der heute ist halb tot gewesen. Der hat sich vor Angst bis zum Hals hinauf angeschissen.»

«Mahlzeit», hat der Schimpl sich wieder gemeldet. «Wo ist er denn?»

«Ja, darum wundere ich mich ja.»

Und dann hat der Bahnhofsvorstand den Brenner ein biß-chen verlegen angeschaut. Der Eisenbahner mit dem Pferdege-sicht ist jetzt auf einmal wirklich so wortkarg wie ein französi-scher Film geworden.

«Was heißt wundern?» hat der Schimpl wissen wollen.

«Ich wundere mich, was ihr hier noch macht. Der Rettungs-bund hat ihn ja schon vor fünf Minuten mitgenommen.»

«Was heißt der Rettungsbund?»

«Der Rettungsbund eben.»

«Ja, haben Sie denn bei denen auch angerufen?»

«Eben nicht.»

«Was heißt eben nicht?»

Siehst du, darum sage ich immer: Dolmetscher oder viel-leicht Professor, das wären Berufe für den Schimpl gewesen. Aber für einen Rettungsfahrer war er einfach zu nervös.

Besonders jetzt. Wie der alte Eisenbahner noch sagt: «Ich hab mich auch schon gewundert, daß die kommen. Und noch dazu fünf Minuten vor euch.»

Und ich muß ganz ehrlich sagen, ein bißchen nervös ist der Brenner jetzt auch geworden. Weil du darfst eines nicht vergessen. Es gibt für einen Kreuzretter nichts Schlimmeres, als wenn du dir vom Rettungsbund die Fuhre vor der Nase wegklauen läßt.

3

Bei Dienstschluß hat der Brenner den Vorfall am Franz-Josefs-Bahnhof schon komplett vergessen gehabt. Er hat ja nicht wissen können, wie oft er in den nächsten Tagen noch an den geklauten Sandler denken wird. Aber vielleicht ist es schon ein bißchen eine Vorahnung gewesen, daß er an diesem Abend so grantig in seiner Wohnung gesessen ist.

Bis neun hat er ferngesehen, und dann ist er ein bißchen ins Studieren gekommen. Ich möchte nicht sagen: melancholisch, nur ein bißchen ding. Wo schon seine Großmutter früher immer ganz streng zu ihm gesagt hat: «Es heißt: Du sollst nicht grübeln!»

Wie er jetzt in seiner Wohnung gesessen ist, hätte er auch jemanden gebraucht, der ihn aufscheucht und daran erinnert: «Du sollst nicht grübeln!»

Für echtes Grübeln ist es allerdings typisch, daß es gar nichts Konkretes gibt, über das man grübelt. Quasi grübeln um des Grübelns willen. Und heute abend hat der Brenner immerhin darüber gegrübelt, ob er jetzt noch auf ein Bier in das Kellerstüberl hinuntergehen soll oder nicht.

Aber natürlich, wenn man drei Stunden über so ein Problem nachgrübelt, ist es fast schon wieder echtes Grübeln. Er hat von seiner Wohnung aus gesehen, daß Licht in der Kellerbar unter dem Bereitschaftsraum war. Jeden Abend sind da unten Pokerrunden gewesen, und da haben seine Kollegen oft um Einsätze gespielt, frage nicht. Denen ist das Risikomäßige vom Einsatzfahren so in Fleisch und Blut übergegangen, daß sie es auch nach der Arbeit noch gebraucht haben.

Aber statt daß er hinuntergegangen wäre, hat er darüber nachgegrübelt, wie er zum erstenmal in seinem Leben eine Kellerbar gesehen hat.

Weil du darfst eines nicht vergessen. Wie der Brenner ein kleines Kind war, ist der Krieg noch nicht so lange her gewesen. Da sind die Leute noch froh gewesen, wenn sie ein Dach über dem Kopf gehabt haben. Und dann sind die Jahre gekommen, wo alle eine neue Heizung gebaut haben. Und dann sind die Jahre gekommen, wo alle ein neues Bad installiert haben. Und dann sind die Jahre gekommen, wo alle neue Möbel gekriegt haben. Und dann sind die Jahre gekommen, wo alle eine neue Küche eingebaut haben. Und dann sind die Jahre gekommen, wo alle alles gehabt haben.

Und dann ist das Jahr gekommen, ich erinnere mich noch genau, 1968, wie die olympischen Winterspiele in Grenoble gewesen sind: Wo sich alle ein Kellerstüberl gebaut haben.

Der Brenner hat damals in den Ferien seinem Großvater ein bißchen in der Schreinerwerkstatt geholfen. Und sie haben in diesen Ferien bestimmt zehn Kellerstüberl-Plafonds mit Holzdecken verkleiden müssen. Irgendwie hat jedes Kellerstüberl seine Eigenheit gehabt, und irgendwie ist jedes Kellerstüberl gleich gewesen. Eine weiche Sitzecke. Ein schwarzer Couchtisch. Eine herausklappbare Bar mit Innenbeleuchtung, voll mit billigen Whiskys und Cognacs. Eine leuchtende venezianische Gondel. Ein Plattenspieler mit drei Elvis-Platten, oder meinetwegen «Take the A-Train». Und eine holzverkleidete Decke mit indirekter Beleuchtung.

Und natürlich der Brenner damals in einem gewissen Alter. Weil im Winter 1968 ist der Brenner, warte: gut siebzehn Jahre alt gewesen. Ich möchte nur soviel sagen: Er hat in diesen Sommerferien nicht nur Holzdecken genagelt in den verschiedenen Kellerstüberln. Praktisch Mädchen auch. Aber Schluß damit, es heißt: Du sollst nicht grübeln!

Um Mitternacht ist das dem Brenner endlich auch wieder eingefallen. Aber an diesem Tag muß schon ein bißchen ein schlechter Stern über ihm gestanden sein. Weil statt daß er schlafen gegangen wäre und diesen verkehrten Tag endlich beendet hätte, ist er jetzt doch noch in das Kellerstüberl hinunter.

In seiner ersten Zeit bei der Rettung hat er noch öfter auf einen Sprung hinuntergeschaut. Aber seit der Bimbo und der Munz in der *Kronenzeitung* gestanden sind, ist es ein bißchen anstrengend geworden mit den Kollegen. Ich möchte nicht sagen Größenwahn, aber paß auf.

Du kennst das bestimmt, die Zeitung macht immer so Fotos, wo die Leute in eine Richtung zeigen. Sagen wir, jemand hat ein Kind aus einem reißenden Wildbach gerettet. Jetzt geht der Pressefotograf her und sagt zu dem tapferen Menschen: Stell dich da hin und zeig auf den Wildbach. Und unter dem Foto steht dann: «Der tapfere Kinderretter zeigt auf den Wildbach, aus dem er das Kind gerettet hat.» Oder jemand hat ein Ufo gesehen, und er zeigt auf die Stelle, wo er das Ufo gesehen hat. Oder bei dir ist eingebrochen worden, dann zeigst du auf die leere Stelle, wo bis vor kurzem noch deine Videowall gestanden ist.

Mir fallen jetzt keine anderen Beispiele ein, aber ich glaube, du kannst es dir ungefähr vorstellen. Und genau so haben der Bimbo und der Hansi Munz in der Zeitung auf den AKH-Imbißstand gezeigt, vor dem der Chef der Wiener Blutbank so gemein erschossen worden ist, daß seine Freundin Irmi gleich hat mit dran glauben müssen.

«Rettung kam schon nach einer Sekunde – und doch zu spät», war die Überschrift. Und unter dem Foto ist gestanden: «Die Rettungsfahrer Groß und Munz zeigen auf die Stelle, wo Leo Stenzl und seine Geliebte niedergestreckt wurden.»

Wenn man so etwas in der Zeitung liest, dann ist man beeindruckt, was es auf der Welt alles gibt. Aber man überlegt nicht, was so ein Foto bei einem Menschen wie dem Bimbo anrichten kann.

Der Bimbo hat sofort seine Ray-Ban-Sonnenbrille gegen eine verspiegelte getauscht: «Damit mich die Groupies auf der Straße nicht aus dem Auto reißen», hat er dauernd gesagt. Oder: «Damit mich die geilen Krankenschwestern in der Notaufnahme nicht schon vernaschen, bevor sie den Patienten in den Lift geschoben haben.» Aber egal, was der Bimbo gesagt hat – seit sein Foto in der *Kronenzeitung* gewesen ist, hat er es doppelt so laut gesagt wie früher. Und er ist schon früher nicht der Leiseste gewesen.

Du wirst sagen, der Brenner ist vielleicht nur eifersüchtig auf den Ruhm vom Bimbo gewesen. Aber da muß ich sagen, spar dir den Psychologen lieber für einen anderen auf.

Wie der Brenner knapp vor Mitternacht die Tür zum Kellerstüberl aufgemacht hat, hat es ihm schon fast wieder leid getan, daß er heruntergekommen ist. Weil der Dunst, den es hier gehabt hat, war nicht mehr feierlich. Unglaublich, daß sechs, sieben Sanitäter so einen Dunst erzeugen können.

Der Dunst ist aber nicht von den Zigaretten allein gekommen. Obwohl es geraucht hat wie auf einem Schulklo. Und es ist auch nicht nur der Bierdunst gewesen, obwohl die drei Tische übersät waren mit leeren und halbvollen Bierflaschen. Das Kellerstüberl war ja viel zu klein für die Rettungszentrale. Zwei mittlere Pokerrunden, und schon ist es voll gewesen. Und wenn da sechs Männer stundenlang rauchen und sieben Männer saufen (weil der Hansi Munz hat ja nicht geraucht), möchte man meinen, das genügt, daß es einen Dunst hat.

Und es hätte auch genügt, es hätte sogar dreimal genügt. Aber es ist eben nicht der ganze Dunst gewesen.

Siehst du, früher hat man das nicht gewußt, aber heute weiß man es. Mit den Hormonen. Das Sexuelle. Da gibt es ein eigenes Hormon dafür, das hat uns die Natur mitgegeben, und das ist auch an und für sich nichts Schlechtes. Und die Männer haben ein eigenes und die Frauen haben ein eigenes.

Das von den Männern heißt Testosteron, quasi Fachbegriff, aber die Sanitäter haben sich schon ein bißchen ausgekannt mit den Fachbegriffen. Weil Kurse und Schulungen und alles. Da hat man sich aber eigentlich gar nicht auskennen müssen mit den Fachbegriffen, jeder, der das Kellerstüberl in diesem Moment betreten hätte, hätte mit dem Ohnmächtigwerden zu kämpfen gehabt. Weil die Luft ist fast gestanden vor Testosteron.

Weil jetzt wieder Wissenschaft: Wenn der Mann sexuell unterwegs ist, dann schüttet sein Körper dieses Hormon aus. Und wenn sieben Männer so unterwegs sind (weil der Hansi Munz hat zwar nicht geraucht, aber Testosteron trotzdem) und es ist nur ein kleiner Raum, wie es das Kellerstüberl gewesen ist, dann ist das ein Geruch, ich will es nicht näher beschreiben.

Jetzt, wieso dieser Geruch, wirst du dich fragen.

Ich habe gesagt: Sechs Männer haben geraucht und einer nicht. Aber jetzt komme ich erst auf die Weiberseite. Weil es ist auch eine Frau dagewesen. Die Tochter vom alten Lanz ist mitten unter den Fahrern gesessen, und man hat es ihr gleich angesehen, daß sie auch schon ein paar Bier intus gehabt hat.

Die Angelika hat immer noch bei ihrem Vater gewohnt, obwohl sie auch schon auf die Fünfundzwanzig zugegangen ist. Aber die Mutter ist gestorben, wie sie sechzehn war, und seither hat sie für ihren Vater ein bißchen den Haushalt geführt.

Aber nicht, daß du glaubst, die Angelika ein Kind von Traurigkeit. Ganz im Gegenteil. Weil sie war die einzige junge, unverheiratete Frau, die in der Rettungszentrale gewohnt hat. Und rundherum jede Menge Männer, jung und sportlich und Uniform und alles. Ist natürlich die Angelika auch manchmal neugierig gewesen, was sich unter der Uniform befindet.

Aber so ist der Mensch. Das Naheliegende schätzt er weniger als das Ferne. Jetzt hat sich die Angelika im Lauf der Jahre zwar ein bißchen durch die Kreuzrettertruppe durchgekostet, aber richtig verliebt hat sie sich vor einem halben Jahr ausgerechnet in den Rettungsbund-Chef!

Natürlich große Aufregung bei den Kreuzrettern, aber bevor das Gerücht richtig aufgekommen ist, war es schon wieder vorbei zwischen der Angelika und dem Rettungsbündler, und sie hat dann wenigstens nicht aus dem Kreuzrettungshof ausziehen müssen.

Ein paar Monate lang hat die Angelika dreingeschaut, als wäre ihr weiß Gott was für ein Fisch durch die Lappen gegangen, aber vor ein paar Tagen hat sie sich mit dem Bimbo eineinhalb Stunden im Hof unten unterhalten, und jetzt ist sie zum erstenmal wieder ins Kellerstüberl hinuntergekommen.

Ihre vom Friseur blondierten und ruinierten Haare sind zu neuem Leben erwacht, ich weiß nicht, ist es an der Geisterstunde gelegen oder an der indirekten Beleuchtung oder an den Hormonen oder am Bimbo, der ihr Feuer gegeben hat mit seinem Zippo-Feuerzeug.

«Ziehen!» hat der Bimbo die Lanz-Tochter angebrüllt, während er ihr die Riesenflamme hingehalten hat, mit der er fast die strohtrockene Angelika-Mähne in die Luft gejagt hätte. «Ziehen! Nicht blasen, Angelika!»

Die Angelika Lanz hat aber schon gewußt, daß man bei einer Zigarette ziehen muß, weil seit zehn Jahren die reinste Kettenraucherin. Und was ihr der Bimbo als nächstes erklärt hat, hat sie auch schon hundertmal gehört:

«Darum heißt es ja Zieh-Garetten!»

Sie hat einen tiefen Lungenzug gemacht, daß die Zigarettenspitze orange aufgeglüht ist wie eine Silvesterrakete.

«Ziehen! Nicht blasen, Angelika», hat der Bimbo jetzt noch einmal gesagt, aber für seine Verhältnisse aufreizend leise.

«Sicher», hat die Angelika leise geantwortet und sich ein bißchen Bier in ihr halbvolles Glas nachgeschenkt.

«Was heißt sicher?» hat der Bimbo gefragt. «Schenkst du mir auch eine Zigarette?»

«Sicher.» Die Angelika hat ihm ihre Kim-Packung hingehalten. Der Bimbo hat grinsend in die Runde geschaut, wie er sich eine von den Tussi-Zigaretten genommen hat. Dann hat er sein Zippo-Feuerzeug auf den Tisch vor die Angelika hingelegt: «Hast du ein Feuer?»

«Sicher.» Die Angelika hat das Feuerzeug vorsichtig in die Hand genommen, um sich keinen ihrer fünf Zentimeter langen Fingernägel abzubrechen, und dem Bimbo mit seinem eigenen Feuerzeug Feuer gegeben. «Ziehen, nicht blasen, Bimbo», hat die Angelika gesagt.

«Nicht blasen?» hat der Bimbo gefragt.

Jetzt natürlich. Ein Wort ergibt das andere. Und Alkohol im Spiel. Das ist ja bekannt, daß das eine enthemmende Wirkung hat. Am nächsten Tag tut es einem oft leid, und man möchte nicht mehr daran erinnert werden.

Aber der Brenner hat sich am nächsten Morgen noch an jede Einzelheit erinnert. Wie die Angelika den Bimbo gleich an Ort und Stelle, vor versammelter Mannschaft beim Wort genommen hat. Wie sie vor den grölenden Kollegen ihres Vaters, die sie angefeuert haben wie den reinsten Fußballstürmer, den ganzen Bimbo zum Glühen gebracht hat.

Ich weiß nicht, ob sich die Angelika am nächsten Morgen noch an alles erinnert hat oder ob es ihr leid getan hat. Immerhin hat sie in ein und demselben Haus gewohnt mit den Männern, die das Kellerstüberl für fünf Minuten in den reinsten Hexenkessel verwandelt haben.

Ich weiß nur eines: Dem Bimbo hat es bestimmt nicht leid getan, weil der ist am nächsten Tag der große Held gewesen. Der ist kreuzfidel im Bereitschaftsraum gesessen und hat mit ein paar Kollegen die gestrigen Erlebnisse Revue passieren lassen.

Wie dann der alte Lanz hereingekommen ist, sind sie zuerst einmal alle verstummt. Aber dann hat sich der Lanz eine Zigarette angezündet.

Und dann natürlich der Bimbo: «Ziehen! Nicht blasen, Alter!»

Und dann die anderen losgebrüllt, daß man glauben hätte können, die ganze, seit Jahrtausenden unterdrückte Angelegenheit ist auf einmal bei dieser Handvoll Rettungsfahrer herausgeplatzt, so hat sie der Ausspruch vom Bimbo amüsiert.

Der Schädel vom alten Lanz hat geglüht, fast so rot wie gestern der vom Bimbo, wie ihm die Angelika das Rauchen beigebracht hat.

Und wie sich jetzt auch noch der Hansi Munz und die anderen herausgetraut haben mit immer deutlicheren Anspielungen, was für ein Meisterstück die Lanz-Tochter gestern im Vollrausch am Bimbo vollführt hat, ist der Lanz einfach hinausgegangen und hat im Hof draußen seine Zigarette fertig geraucht. Aber bevor der alte Lanz in Sicherheit gewesen ist, hat der Munz schnell noch dem Bimbo vorgerechnet: «Dafür hättest du bei einer Professionellen mindestens 3000 Schilling hingeblättert.»

«Mindestens», brüllt der Bimbo. «Und dann noch weitaus nicht so gut wie bei der Lanzin.»

Der Brenner ist neunzehn Jahre lang bei der Polizei gewesen. Und da erlebst du natürlich in der Hinsicht auch so manches. Da will ich jetzt gar nichts beschönigen. Da hat das alte Sprichwort «Ruf bei Vergewaltigung nie Polizei, denn sie ist schon dabei» oft seine Gültigkeit.

Oder vielleicht nicht direkt Sprichwort, mehr so ein Spaßwort ist das gewesen, das die Polizisten untereinander manchmal gesagt haben. Und ich weiß jetzt gar nicht, ob man das heute noch so sagt, weil die schönen alten Reime geraten ja alle in Vergessenheit. Das ist eben der Lauf der Dinge, da darf man nicht altmodisch sein und immer nur den Pessimismus betonen.

Aber jedes Spaßwort hat ja den gewissen ernsten Kern. Und da hat es schon ein paar Fälle gegeben, die ich lieber nicht erzähle. Ist zu deinem Schutz genauso besser wie zu meinem. Und trotzdem muß man sagen: Gegen die Rettungskollegen sind die Polizeikollegen eigentlich die reinsten Mitmenschen gewesen.

Der Brenner hat aber jetzt nicht lang Zeit gehabt, daß er sich darüber Gedanken macht. Die Glocke ist gegangen, und hinaus im Laufschritt, vorbei am Lanz, der gerade seine Zigarette auf dem Fensterbrett ausgedrückt hat. Und daran hast du erkennen können, daß es dem alten Lanz wirklich nicht gutgeht. Weil aus irgendeinem Grund sind die Hoffensterbretter dem Junior heilig gewesen. Und wenn er das gesehen hätte, frage nicht.

Der Brenner hat beim Laufen bemerkt, daß er selber den gestrigen Kellerstüberl-Abend auch noch ein bißchen gespürt hat. Aber alter Spruch: Nichts scheißen, durchbeißen! Rein in das Vergnügen, sprich: rein in den 770er. Und aufpassen, daß du dir nicht ins eigene Auto kotzt. Starten, abdüsen, funken:

«770 rückt aus.»

«770 verstanden. Fahren Sie einsatzmäßig Per-Albin-Hansson-Siedlung. 14! Ein Kleinkind in die Augenklinik. Loctite Superkleber.»

«Verstanden.»

Der Kollege vom Brenner ist an diesem Tag der Hansi Munz gewesen. Und funken tut natürlich immer der Beifahrer.

«Nicht so müde, Kollege!» hat sich der fette Buttinger jetzt noch über Funk lustig gemacht. Weil der hat ja gewußt, daß der Brenner und der Munz gestern im Kellerstüberl auch dabeigewesen sind.

«Leck mich am Arsch», hat der Munz geantwortet. Aber da

hat er den Sprechknopf am Funkmikrofon natürlich schon längst nicht mehr gedrückt.

Wie sie das Kind mit den zugeklebten Augen gerade in der Augenklinik abgeliefert gehabt haben, ist schon die nächste Tour über Funk hereingekommen, eine Dialysepatientin, und dann ein Zuckerschock und dann ein Motorradfahrer, und wie sie das erste Mal eingerückt sind, ist es schon halb vier am Nachmittag gewesen.

Aber da haben ein paar Kollegen im Bereitschaftsraum auf einmal nicht mehr so fröhlich gewirkt wie am Vormittag. Weil der Junior hat der Reihe nach alle Beteiligten am gestrigen Kellerstüberl-Abend in sein Büro geholt. Und jetzt ist sofort der Munz drangekommen.

Während der Brenner am Gang draußen darauf gewartet hat, daß er als nächster antreten muß, hat sich der kleine Berti zu ihm gestellt und gegrinst: «Du warst gestern auch dabei, oder?»

«Ist das hier ein Kindergarten, oder was? Daß man sich für jede kleine Orgie rechtfertigen muß.»

«Der Junior könnte es jedenfalls mit jeder Kindergartentante aufnehmen. Die anderen sind alle ziemlich still und brav aus der Besprechung herausgekommen.»

«Der Bimbo auch?»

«Wie der Bimbo drinnen war, hat der Junior so geschrien, daß man noch im Bereitschaftsraum fast jedes Wort verstanden hat.»

«Alles wegen der Angelika? Seit wann ist der Junior so ein Moralist?»

«Weniger wegen der Angelika. Mehr wegen dem Bimbo. Der wird ihm langsam zu übermütig.»

«Jetzt auf einmal?»

«Seit er in der Zeitung war, ist der Bimbo nicht mehr zu bremsen. Ein paar Krankenschwestern von der Geriatrie haben sich schon über ihn beschwert.»

«Grapscht er jetzt schon auf der Geriatrie?»

«Die Schwestern dort sind ja nicht so alt.»

Und im nächsten Moment ist schon durch die Sprechanlage gekommen: «Sanitäter Brenner bitte ins Chefbüro.»

Der Munz ist ihm auf der Stiege entgegengekommen: «Freu dich», hat er ihm mit wackligen Stimmbändern mit auf den Weg gegeben.

Aber wie der Brenner dann in das Chefbüro hinein ist, große Überraschung.

Der Junior hat den Brenner nicht zusammengestaucht. Ganz im Gegenteil. Er hat ihm so höflich einen Stuhl angeboten, daß man glauben hätte können, der Brenner ist einer von den fünf Trägern des goldenen Spenderabzeichens. Weil silbernes Spenderabzeichen für einen Rettungswagen, aber goldenes erst für einen Notarztwagen, und wenn du weißt, daß ein Notarztwagen nichts anderes ist als ein fahrender Operationssaal, kriegst du eine Vorstellung davon, warum man die lebenden Spender an einer Hand abzählen kann.

Hinter dem Junior sind ein paar gerahmte Fotos gehängt, auf denen sein Vater mit verschiedenen Prominenten zu sehen war. Der Alte war schon drei Jahre tot, aber wahrscheinlich wäre es dem Junior respektlos vorgekommen, wenn er die Fotos gegen eigene ausgetauscht hätte.

Auf einem war sogar der Papst, wie er bei seinem Wien-Besuch vor ein paar Jahren die Rettungsautos geweiht hat. Der Papst hat ein bißchen Staub auf den Lippen gehabt, aber nicht, weil er den Schwechater Flughafen geküßt hat, sondern weil das Fotoglas nicht gut abgestaubt war. Das hat man daran erkannt, daß der Mann neben dem Papst auch diesen Staub im Gesicht gehabt hat. Aber Staub hin oder her: So ein stolzes und zufriedenes Lächeln hast du noch nicht gesehen wie das vom alten Kreuzrettungschef bei der päpstlichen Fahrzeugsegnung.

Aus den Erzählungen von den älteren Fahrern und von der

Frau Aigner aus der Buchhaltung hat der Brenner gewußt, daß der Alte noch ein richtiger ding war, wie soll ich das am besten erklären. Das mußt du dir ein bißchen wie diese Japaner vorstellen. Die es nach fünfzig Jahren im Dschungel immer noch nicht glauben, daß der Zweite Weltkrieg vorbei ist. So hat der Alte bei der Rettung das Militärische aufrechterhalten. Appell und Kommandoton und alles. Und wenn du zur Uniform keine schwarzen Socken angehabt hast: Todesstrafe.

Das ist so ein Ausdruck bei den Fahrern, wenn du strafweise für eine Woche zum Blutspendedienst aufs Land eingeteilt wirst. Das ist heute noch die gefürchtete Todesstrafe. Aber heute kriegst du sie nur noch für schwere Vergehen, wie der Werkstättenchef, der vor ein paar Wochen beim 590er den kaputten Auspuff übersehen hat. Wo dann die Abgase zu dem Patienten in den Transportraum eingedrungen sind. Oder der Alkoholunfall vor zwei Jahren, wo der Hansi Munz einmal die Schiebetür nicht ordentlich zugemacht hat, und dann hat er bei der Autobahnauffahrt den Rollstuhl verloren, also samt Patient, aber der Munz hat es in seinem Dusel nicht bemerkt und ist weitergefahren. Der Patient Gott sei Dank auf der Stelle tot, aber der Hansi Munz natürlich ab ins Waldviertel und eine ganze Woche Blutspenden. Aber wie gesagt: Beim Alten hast du das schon für ein Paar helle Socken gekriegt.

Äußerlich war der Junior dem Alten wie aus dem Gesicht geschnitten. Nur daß der Alte keinen Schnurrbart gehabt hat. Und der Schnurrbart vom Junior war ein derart scharfer Keil, an dem hättest du dir jederzeit eine Bierflasche aufmachen können.

Man möchte glauben, einem Ex-Polizisten wie dem Brenner dürfte ein Bullenschnurrbart nicht so auffallen. Aber durch die Ähnlichkeit der beiden Gesichter ist dem Brenner der Schnurrbartkeil vom Junior auf einmal wie angeklebt vorgekommen. Und wenn dir einmal der Schnurrbart von einem Menschen wie angeklebt vorkommt, kommt dir bald auch das Charakterliche ein bißchen angeklebt vor, sprich das ganze chefmäßige Auftreten.

Und der Brenner jetzt Psychologe von seinem Chef: zu sichere Stimme, zu fester Blick, zu strammer Schritt. Und natürlich allgemein: zu resolutes Hinausräubern aus dem Rettungshof.

Aber ich vermute, der Brenner hat sich nur ein bißchen Mut machen wollen mit seinem psychologischen dings. Weil den Alten auf den Fotos hat er wieder gelten lassen. Obwohl ich schon zugeben muß, der hat neben dem Papst wirklich fast päpstlicher als der Papst ausgesehen.

Und sogar neben dem Wiener Bürgermeister hat er eine gute Figur gemacht. Also nicht neben dem jetzigen, neben dem bald wer einmal eine gute Figur macht. Neben dem früheren Bürgermeister – der mit der Frau, du weißt schon. Wo die Praternutten eine Zeitlang als Bürgermeisterin gegangen sind.

Der Junior hat bemerkt, daß der Brenner die Fotos anschaut, und gleich dazu gesagt: «Als gemeinnütziger Verein stehen wir dauernd im Licht der Öffentlichkeit. Wir können uns solche Eskapaden einfach nicht leisten.»

Der Brenner hat nur stumm genickt. Er hat immer noch geglaubt, der Junior redet über die Sache im Kellerstüberl.

«Wir haben ja so schon genug Probleme», hat der Junior jetzt so gesagt, als wären «wir» der Junior und der Brenner, und die anderen wären die Probleme. Zwischen den Sätzen hat er immer wieder zum Plafond hinaufgeschaut, eine komische Gewohnheit, und die Frau Aigner aus der Buchhaltung hat dem Brenner einmal erzählt, daß der Junior diese Geste vom Alten übernommen hat.

Aber siehst du, bei solchen Dingen kommt es eben auf die Kleinigkeiten an. Beim Alten hat es vielleicht staatsmännisch ausgesehen. Der Brenner hat sich vorgestellt, daß sich dabei seine gespreizten Hände nur an den Fingerspitzen berührt haben, während er die Botschaft wie der reinste Bundespräsident vom Himmel heruntergelesen hat.

Aber beim Junior gegenteilige Wirkung. Weil er hat nur so lange wie ein durchtrainierter Bomberpilot mit Schnurrbartkeil gewirkt, solange er mit gesenktem Kopf von unten heraus geschaut hat. Aber wenn du mit so einem keilförmigen Bullenschnurrbart den Kopf nach oben drehst, sieht dein Gegenüber den Schnurrbart von unten. Statt der schneidigen Schnurrbartkante sieht man auf einmal Tausende Haarspitzen wie bei einem Besen. Und Schnurrbart von unten natürlich immer Schwächezeichen!

«Trinken Sie ein Glas Cognac mit mir?»

«Ich muß heute noch fahren.»

Weil erstens hat der Brenner sowieso nie einen Cognac getrunken, und zweitens natürlich: Fangfrage.

«Heute werden Sie nicht mehr viel fahren», hat der Junior mit einem Blick auf seine Fliegeruhr gesagt und zwei Gläser und eine Cognacflasche auf seinen Schreibtisch gezaubert. Dann hat er eingeschenkt und dem Brenner sein Glas zum Anstoßen hingehalten: «Zum Wohl.»

Himmel, Arsch und Zusatzarsch! Es gibt nichts Schlimmeres, als wenn sich dein Chef mit dir verbrüdern will. Und du weißt genau, daß er damit irgendwas bezweckt, aber er hält dich für so blöd, daß du es nicht merkst.

«Ich habe gehört, daß Ihnen gestern der Rettungsbund einen Bewußtlosen von der Straße weggeklaut hat.»

«Wir haben den s-Code gehabt. Deshalb sind wir nicht einsatzmäßig gefahren. Und wie wir hingekommen sind, war er schon weg.»

«Sie trifft überhaupt keine Schuld», hat der Junior die Rechtfertigung vom Brenner unterbrochen. «Aber die Sache mit dem Rettungsbund wird immer schlimmer.»

«Ich habe auch gehört, daß so was schon ein paarmal vorgekommen ist.»

«Jaja. Es kommt immer öfter vor, daß sie uns die Verletzten von der Straße wegklauen. Das sind Raubrittermethoden.»

Der Brenner hat darauf nichts gesagt.

«Jetzt frage ich Sie, wie ist das möglich?»

Der Junior hat zum Himmel hinaufgeschaut und auf eine Antwort gewartet. Aber der Himmel hat nichts gesagt. Und der Brenner hat auch nichts gesagt.

«Sie wollen es nicht sagen, aber Sie wissen, daß es darauf nur eine Antwort gibt. Sie waren doch früher Detektiv.»

Der Brenner hat nichts gesagt.

«Der Rettungsbund hört unseren Funk ab», hat der Junior ihm mit einer fürchterlich zerfurchten Stirn die Antwort abgenommen.

Jetzt hat der Brenner das Gefühl gehabt, daß er wieder einmal was sagen muß. Aber in derselben Sekunde ist ihm schon sein Lateinlehrer aus dem Puntigamer Gymnasium erschienen. «Si tacuisses, philosophus mansisses!» hat der Professor bei jeder Gelegenheit gebrüllt, praktisch Latein: Schweigen ist Gold. Weil der hat früher einen guten Posten bei der Gestapo gehabt und jetzt nur noch Lateinlehrer, da hat er immer das Schweigen herausgebrüllt, daß die Fensterscheiben gezittert haben.

Aber da hat es der Brenner schon gesagt gehabt. Da ist es schon herausgerutscht gewesen. Dreimal hat er geschwiegen und das Sprichwort eingehalten. Aber beim viertenmal ist er dem Junior mit seiner Funkgeschichte doch auf den Leim gegangen und hat gesagt:

«Gibt es dafür einen Beweis?»

Und siehst du, man soll ein Schwächezeichen nie überbewerten. Weil der Junior hat in den Himmel hinaufgeschaut und mit einem sympathischen Schnurrbartlächeln gesagt: «Den möchte ich von Ihnen, Brenner.»

4

Am nächsten Tag ist der Brenner mit so einem Grant unterwegs gewesen, daß es mich heute noch freut, daß ausgerechnet der Czerny es ausbaden hat müssen.

Der Czerny war für seinen Schnurrbart berühmt, der eher wie eine gulaschfarbene Zahnbürste ausgesehen hat, und Ironie des Schicksals: Trotz Zahnbürste im Gesicht hat er einen fürchterlichen Mundgeruch gehabt. Und ob du es glaubst oder nicht: Das war noch das Sympathischste an ihm.

Weil der Czerny hat überhaupt nur über ein Thema reden können, und das war Geld. Wenn du mit ihm länger als fünf Minuten geredet hast, hat er dir garantiert eine Versicherung angedreht oder ein Abo. Nur gepokert hat er nie, weil das Czerny-Motto: intelligente Geldvermehrung ja, Glücksspiel nein.

Aber fünf Minuten lang reden wäre heute mit dem Brenner sowieso unmöglich gewesen. Der hat so einen Grant ausgestrahlt, daß der Czerny es die ganze erste Stunde gar nicht probiert hat, auch nur ein Wort aus ihm herauszubringen. Diese Geldgeier sind ja oft die sensibelsten Menschen. Weil einem Menschen die Haut über den Kopf ziehen kannst du natürlich am besten, wenn du dich ein bißchen einfühlst in seine Haut.

Er hat auch nicht in der Rettungszentrale gewohnt, weil er hat sein eigenes Haus mitten in der besten Döblinger Villengegend gehabt. Das hat ihm eine Dialysepatientin für einen symbolischen Schilling vermietet. Die Dialysepatienten müssen ja so oft ins Krankenhaus, daß du sie als Rettungsfahrer automatisch besser kennenlernst. Und wie der Czerny herausgefunden hat, daß die alte Frau Dr. Kaspar mehrere Häuser besitzt, hat er einen Charme entwickelt, daß ich sagen muß, Hut ab. Da hat die Patientin noch nicht einmal ihre Spenderniere abgestoßen gehabt, ist sie schon ihre Villa los gewesen.

«Du bist heute so einsilbig», hat der Czerny dann doch irgendwann gesagt.

«Einsilbig?» hat der Brenner geantwortet.

Ein paar Minuten später, wie sie wieder einmal bei der Baustelle vor den Barmherzigen Brüdern gewartet haben, sagt der Czerny:

«Das waren ja jetzt immerhin schon drei.»

«Was drei?»

«Silben.»

«Was drei Silben?»

«Drei Silben sind es gewesen, die du gesagt hast.»

«Wo hab ich drei Silben gesagt?»

«Vorher. Wie du ‹einsilbig› gesagt hast. Ein-sil-big. Das sind immerhin drei Silben», hat ihm der Pfennigfuchser vorgerechnet. «Da kann man nicht sagen, daß du einsilbig bist.»

«Du bist ein kleiner Philosoph», hat der Brenner gegrantelt.

«Und du bist ein Grantscherben. Dir muß ja der Junior gestern sauber den Kopf gewaschen haben.»

So falsch der Czerny auch gelegen ist, hat er doch den Nagel damit auf den Kopf getroffen, daß der Junior der Grund für den Grant vom Brenner war. Weil der Brenner war so froh, daß er endlich einen ordentlichen Beruf gefunden hat. Geregelt und Gehalt und Wohnung und Pension und alles. Aber einen Moment nicht aufgepaßt, und schon hat dich die Vergangenheit wieder eingeholt.

Das wäre schon Grund genug für seinen Grant gewesen. Daß er jetzt für den Chef auf einmal wieder den Detektiv spielen soll. Daß er auf einmal wieder in der Unterwäsche von anderen Leuten wühlen soll. Aber Unterwäsche noch harmlos. Am schlimmsten war für ihn immer der technische Klimbim. Funk schon bei der Polizei nie sein Ding. Immer die Stimmen und alles. Der Brenner hat ja nicht einmal richtig gewußt, wie man einen Funk überhaupt abhört. Geschweige denn, wie er abhören soll, ob die Rettungsbündler ihren Funk abhören.

Einen Abhörer abhören, das ist ja überhaupt schon ein perverser Gedanke. Wenn man schon etwas belauscht, dann bitte das Sprechen und nicht das Lauschen. Das Lauschen belauschen, das ist so grundverkehrt, wie wenn du in einen Spiegel schaust, der auch in einen Spiegel schaut. Kennst du bestimmt, dieses Spiel. Und ein zehntausendfaches Spiegelbild-Gewitter erschlägt dich, bis du dich selber nicht mehr kennst.

Das ist fast so, wie wenn du über das Denken nachdenkst. Versuch einmal, beim Denken gleichzeitig an dein Denken zu denken! Siehst du, da ist der Ganglien-Salat schneller fertig, als du denken kannst.

Ich habe mir sagen lassen, daß nicht einmal die gescheitesten Hirndoktoren wissen, wie sie denken. Und deshalb kann ich es dir heute nicht allgemeingültig erklären. Aber ich kann es dir für den Brenner erklären. Weil der Brenner hat da seine eigene Methode gehabt. Und da brauche ich nicht einmal ein medizinisches Fremdwort, damit ich dir die Denkmethode vom Brenner erklären kann. Weil für diese Methode gibt es ein ganz einfaches Wort. Und dieses Wort heißt Grant.

Und wenn der Brenner ein Problem gehabt hat, das er nicht hat lösen können, dann hat er einen Grant bekommen, das war nicht mehr feierlich.

«Was sagst du dazu, daß der Junior uns immer noch keine Gasautomatik einbauen läßt», hat der Czerny versucht, ein bißchen das Stimmungstief zu überwinden.

Aber der Brenner kein Kommentar. Er hat sich sogar einen Kaugummi aus dem Handschuhfach genommen, obwohl normalerweise nie Kaugummi. Aber heute demonstrativ: Ich kann nicht reden, weil ich meinen Mund zum Kauen brauche.

«Letzte Woche», hat der Czerny noch ein bißchen durchgehalten, «habe ich einen Klassepatienten nach München gefahren. Zehn Stunden Autobahn, was glaubst du, wie das den rechten Schuh einseitig belastet. Da wäre eine Gasautomatik ein Traum.»

Der Brenner hat so heftig Kaugummi gekaut, daß man glauben hätte können, die Lichtmaschine ist ausgefallen, und er muß mit seinen Kaumuskeln den Notstrom erzeugen.

«Wenn ich mir meine Schuhe anschaue, da ist überall der rechte Schuh schief abgetreten vom Gasgeben. Das wäre mit einer Gasautomatik sofort weg. Schau dir einmal deine Schuhe an!»

Mit seinen Grantanfällen hat der Brenner im Lauf seines Lebens schon öfter wem den Nerv gezogen. Aber Kehrseite der Medaille: Je grantiger er auf ein Problem geworden ist, um so mehr hat er sich darin verbissen.

Darum sage ich ja «Notstrom erzeugen». Das mußt du dir vorstellen wie in einem Krankenhaus, wo der Strom ausfällt. Da haben sie natürlich ein Notaggregat, mit dem die wichtigsten Geräte weiter versorgt werden. Weil mitten in einer Operation Stromausfall, gute Nacht. Und mit so einer Art Notstrom hat der Brenner an diesem Tag seine Arbeit mit dem Czerny ganz normal weitergemacht. Er hat ja die Patienten nicht auf den Boden fallen lassen, er hat sie nicht in die Speiseröhre intubiert, und er hat auch niemanden über den Haufen gefahren.

Aber nur Notstrom, nicht Hauptstrom. Jetzt große Frage: Wo geht der Hauptstrom hin, während ein Stromausfall ist? Der verschwindet ja nicht, der muß ja irgendwo sein. Was hat das Hirn vom Brenner die ganze Zeit getan, während er stundenlang mit dem Notstrom-Grant dahingefuhrwerkt hat?

Aber nicht, daß du glaubst, Hochkonzentrationsarbeit mit

der frei gewordenen Starkstromenergie. Da kennst du den Brenner schlecht. Der Brenner ist ja so ein unkonzentrierter Mensch gewesen, wie du ihn suchen mußt. Manchmal ist ihm das selber fast wie eine Krankheit vorgekommen. Je wichtiger ein Problem war, um so unkonzentrierter ist er geworden. Das hat ihm ja bei der Polizei das Leben so schwergemacht. Und für so einen Unkonzentrationsschub brauchst du natürlich viel mehr Energie als für ein bißchen Konzentration.

Jetzt hat der Brenner über hunderttausend Dinge nachgedacht, nur nicht darüber, wie er das Problem mit dem Rettungsbundfunk lösen könnte. Aber paß auf, damit du verstehst, warum der Brenner die Gauner ausgerechnet immer mit seiner Unkonzentriertheit geschnappt hat.

Weil um halb fünf hat er immer noch keinen Gedanken an den Rettungsbündlerfunk verschwendet gehabt. Statt dessen hat er neben tausend anderen Dingen an das Papstfoto im Büro vom Junior gedacht. Und wie der Papst so viel Staub auf den Lippen gehabt hat. Und wie ihm der Hansi Munz einmal einen von seinen ewigen Witzen erzählt hat: daß der Papst als Fernsehkandidat bei «Wetten daß» antritt, weil er alle Flughafenrollbahnen der Welt am Geschmack unterscheiden kann.

Dieser Witz hat den Brenner in seinem Unkonzentrationsschub daran erinnert, wie sie bei der Polizei einmal einen Spanner verhaftet haben. Der war aus Wien, aber geschnappt haben sie ihn auf der Flucht in Tirol, knapp vor der Grenze nach Italien. Der hat sich aus dem Staub machen wollen, wie die Wiener Polizei damals seine Überwachungsanlagen gefunden hat. Und das glaubt kein Mensch, der hat in einem Wohnblock mit über hundert Wohnungen gewohnt, und jede einzelne Wohnung hat er angezapft gehabt. Und damals haben sie bei der Kripo immer gesagt, der Oswald könnte bei «Wetten daß» antreten und jede einzelne Frau aus seinem Wohnblock allein am Stöhnen erkennen.

Oswald. Siehst du, was ich mit Unkonzentrationsschub meine. Wie es dem Brenner da nach zwölf Jahren den Namen heraufgespült hat.

«Ich muß schnell einmal bei der Post vorbeifahren», hat der Brenner um drei nach halb fünf zu seinem Fahrer gesagt.

«Mußt du was einzahlen?»

Unglaublich, dieser Czerny. Nichts als Geld im Schädel. Aber der Grant vom Brenner ist jetzt völlig verflogen gewesen. Er hat ihn ja nicht mehr gebraucht, also was ich dir da vorher mit dem Notstrom erklärt habe. Und jetzt: Problem gelöst, Grant ade, das ist der reinste Mechanismus gewesen beim Brenner.

Der Czerny hat im Auto gewartet, und wie der Brenner nach ein paar Minuten wieder aus der Hauptpost herausgekommen ist, hat er seinem Fahrer gesagt, er soll einrücken.

«Einrücken? Wir haben noch drei Fuhren, bevor wir einrücken können. Wenn wir Glück haben.»

«770 einrücken!» ist aber im selben Moment über den Funk gekommen, und da hat der Czerny ziemlich blöd geschaut. Er hat ja nicht wissen können, daß der Brenner diesen Spezialauftrag vom Junior hat. Und genausowenig hat er wissen können, daß der Brenner von der Post aus gerade den fetten Buttinger in der Funkzentrale angerufen hat.

Du wirst sagen, er hätte ja auch einfach vom Auto aus hineinfunken können. Aber daß dann alle mitgehört hätten, hast du wieder nicht bedacht. Inklusive Rettungsbund. Und siehst du, diese kleinen Dinge machen eben den Detektiv aus. Er stellt sich in eine stinkende Telefonzelle, wo unsereins sich vielleicht lieber ein bißchen aufspielen und auf wichtig zum fetten Buttinger hineinfunken würde.

Wie der Brenner dann in seiner Wohnung war, hat er noch einmal eine gute Stunde telefoniert, und um halb neun ist er schon im Café Augarten gesessen.

Und um dreiviertel neun ist der Herr Oswald hereingekommen.

In seinem eleganten Anzug hat der Brenner ihn zuerst gar
nicht erkannt. Weil in den zwölf Jahren ist der Herr Oswald
dreißig Jahre älter geworden.

Das haben vor allem die weißen Haare gemacht. Bei nähe-
rem Hinsehen hat man erst gesehen, daß er noch nicht so alt
ist. Und wie er ihm die Hand gegeben hat, hat der Brenner gesehen, daß der Oswald aus der Nähe eigentlich nicht unnatürlich alt aussieht, sondern unnatürlich wehleidig.

Weil wenn du heute das Voyeurshobby hast, bist du meistens
eher auf der sensibleren Seite.

Da hat es den Brenner gar nicht gewundert, daß der Herr
Oswald seine Gedanken gelesen hat. «Ich bin ein alter Mann»,
ist das erste gewesen, was der Oswald gesagt hat.

«Wie alt sind Sie?»

«Einundfünfzig.»

«Das ist heute kein Alter», hat der Brenner gönnerhaft gesagt, als wäre er noch Jahrzehnte vom Fünfziger entfernt.

«Ich habe kein Problem damit», hat der Herr Oswald sensibel gelächelt. «Ich hatte mit den Jugendjahren Probleme. Sie
wissen ja, welche.»

«Ich möchte heute auch nicht noch einmal jung sein», hat der
Brenner behauptet.

Der Herr Oswald hat sich ein Mineralwasser bestellt. In das
versiffte Vorstadtcafé hat der elegante Herr ungefähr so gut gepaßt wie ein verschlucktes Beweisstück in die Darmflora. «In
mein Leben ist Gott sei Dank schon seit langem Ruhe einge-
kehrt. Ich bin seit neun Jahren verheiratet. Und noch länger gehört die jugendliche Verirrung, über die Sie mich kennengelernt haben, der Vergangenheit an.»

Die jugendliche Verirrung, über die Sie mich kennengelernt
haben. Der Brenner hat über den gestelzten Ton von dem alten

Spanner fast lachen müssen. «Sind Sie damals eigentlich eingesperrt worden?»

«Auf Bewährung. Und nicht wegen meines eigentlichen Vergehens.» Der Herr Oswald hat hochdeutsch geredet, daß es nur so gekracht hat. «Sondern wegen Widerstands gegen die – Sie wissen schon, bei der Verhaftung.»

Erst jetzt ist dem Brenner wieder eingefallen, daß er dem Herrn Oswald damals am Reschenpaß mit seiner Dienstpistole zwei Schneidezähne ausgeschlagen hat, bis der endlich aufgegeben hat.

«Ich habe Ihnen ja schon am Telefon gesagt, was ich von Ihnen brauche. Sie sind der größte Spezialist bei Abhöranlagen, den ich kenne, und –»

«Und ich habe Ihnen schon am Telefon gesagt, daß ich damit seit genau zwölf Jahren nicht mehr das geringste zu tun habe.»

Ein bißchen ist der elegante, weißhaarige Herr dabei aus dem Gleichgewicht gekommen. Ich möchte nicht behaupten, daß er zornig geworden ist, aber ganz leicht hat sich sein Gesicht verfärbt, und eine gewisse Heftigkeit in der Stimme, wie er den Brenner unterbrochen hat. Fast hätte man glauben können, die grindige Umgebung des Café Augarten färbt ein bißchen auf den eleganten Herrn ab, quasi: Langsam macht sich die Darmflora über das verschluckte Beweisfoto her.

Aber gleich wieder Mineralwasser und Beruhigung. Der Brenner hat eine Zeitlang nicht geantwortet, er hat einfach ein bißchen das Café Augarten wirken lassen.

Außer den beiden und dem Kellner ist nur noch ein Gast dagewesen, eine Frau im Jogginganzug, die den einarmigen Banditen bearbeitet hat. Obwohl das Lokal fast leer war, hat es so nach Zigarettenrauch gestunken, daß der Brenner für einen Augenblick geglaubt hat, der italienische Schnulzensänger klingt hier noch heiserer als sonst, und gleich kriegt er einen Hustenanfall.

«Ich war überhaupt nur bereit, mich hier mit Ihnen zu treffen, weil ich nicht am Telefon neben meiner Frau darüber sprechen wollte.»

«Sie weiß nichts von der jugendlichen Verirrung, über die wir uns kennengelernt haben?»

Der Herr Oswald hat über den primitiven Spott vom Brenner nur traurig den Kopf geschüttelt.

«Ihre Frau wird auch weiterhin nichts davon erfahren.»

«Natürlich nicht. Weil es nämlich keinen Kontakt mehr zwischen Ihnen und mir geben wird. Weil ich Ihnen nämlich gar nicht helfen kann, selbst wenn ich wollte. Ich wüßte ja gar nicht, wo ich die Geräte hernehmen soll. Ich habe nichts mehr.»

Der italienische Krebskandidat ist schon beim nächsten Lied gewesen, und immer noch tapfer gegen den Hustenanfall angekämpft.

So sensibel der Herr Oswald auch gewesen ist, der Brenner hat ihm jetzt ein bißchen auf die Zehen steigen müssen: «Das Beweisstück, das Sie damals auf dem Reschenpaß verschluckt haben –»

Der große, schlanke Herr ist auf einmal um einen Kopf kleiner geworden. Und dann: «Sie wissen es also.»

Amore, amore. Schon interessant, daß die Italiener alle so gute Stimmen haben.

«Ich habe vorher mit dem Riedl telefoniert.»

«Dann wissen Sie es also.»

Und siehst du, darum sage ich: Richtig telefonieren macht oft den halben Detektiv aus. Weil in den paar Stunden, die dem Brenner von fünf bis acht geblieben sind, hat er von seiner Wohnung aus nicht nur den Oswald angerufen, sondern auch seinen Ex-Kollegen Riedl, der den Oswald damals in Tirol festgehalten hat, wie der Brenner versucht hat, ihn am Beweisfoto-Verschlucken zu hindern. Der Riedl war immer noch bei der

Polizei und hat für den Brenner ein bißchen in den Akt hinein-geschaut, sprich Computer.

Der Brenner hat es dem Herrn Oswald jetzt gar nicht klein-weise aufzählen müssen. Daß das Beweisfoto, das der Herr Os-wald damals zusammen mit seinen zwei Schneidezähnen ver-schluckt hat, vom Polizeiarzt noch halb verdaut zum Vorschein gebracht worden ist. Und daß der Herr Oswald deshalb min-destens zwei Jahre hinter Gitter gekommen wäre. Wenn er nicht seither für die Polizei als Spitzel gearbeitet hätte.

Weil als Spanner ein paar nette Sammlerfotos machen ist die eine Sache. Aber dabei stillschweigend Zeuge von einem Ver-brechen werden steht wieder auf einem anderen Blatt, und zwar auf einem verschluckten.

Vom Riedl hat der Brenner erfahren, daß der Herr Oswald auch heute noch über eine Abhörausrüstung verfügt, gegen die die gesamte Ausrüstung der Staatspolizei bestenfalls ein Schnur-telefon ist, sprich: Basteln für Buben.

«Ihre Frau wird davon nichts erfahren», hat der Brenner ihm versichert.

«Und was wollen Sie von mir?»

Der Brenner hat ihm dann die Erleichterung über die einfa-che Aufgabe angesehen.

«Funk abhören?» Dem Herrn Oswald ist fast das Lachen ge-kommen. «Das ist kein Problem», hat er gesagt und sich vor lauter Aufatmen fast an seinem Mineralwasser verschluckt.

Auf dem Heimweg ist der Brenner richtig fröhlich gewesen. Er hat geglaubt, daß er für heute das Schlimmste hinter sich hat. Eigentlich kein übertriebener Optimismus, wenn man be-denkt, daß es nur noch drei Minuten bis Mitternacht waren.

Aber trotzdem Irrtum. Weil bei der Einfahrt zum Rettungs-hof kommt ihm schon der Hansi Munz entgegen, und der Brenner hat gleich gesehen, daß er vollkommen aus dem Häus-chen ist.

«Der Groß ist tot!»

Der Brenner hat ihm angesehen, daß es kein Scherz war. Schon allein, weil er gesagt hat «der Groß» und nicht «der Bimbo», quasi: Respekt vor den Toten.

Trotzdem hat er momentan lachen müssen, als hätte ihm der Hansi Munz einen guten Witz erzählt.

5

«Ich möchte wissen, was es da zu lachen gibt!» hat der Hansi Munz nach einer Schrecksekunde aufgeschrien.

«Der Tod ist groß», hat der Brenner geantwortet.

Aber der Munz hat natürlich davon überhaupt nichts wissen wollen: «Der Groß ist tot!» hat er störrisch wiederholt. «Der Bimbo! Ich möchte wissen, was es da zu lachen gibt!»

«Ich lache ja nicht», hat der Brenner behauptet. Weil erstens hat er es jetzt wirklich nicht mehr zum Lachen gefunden. Und zweitens hat er nicht die Geduld gehabt, dem Munz die ganze Geschichte zu erzählen. Schon gar nicht in dieser Situation. Aber dir kann ich es ja kurz erzählen.

Wenn du heute Leichenbestatter bist, dann ist das ein hochqualifizierter Beruf. Das ist nicht mehr wie früher, wo man gesagt hat: Ein bißchen traurig schauen und ein paar Hunderter-Nägel für den Sarg, und schon bist du als Leichenbestatter ein gemachter Mann. Sondern gewaltiges Anforderungsprofil: Du mußt die Psychologie haben, du mußt das Gärtnerische haben, du mußt die bürokratische Hürde haben, du mußt die ganze Buchhaltung haben. Und, und, und!

Und damit bist du noch lange nicht bei den Spitzenbestattern dabei. Weil der Spitzenmann muß auch die Literatur haben, und zwar alles: Japanisch, Chinesisch, Weisheiten, alles.

Wie vor einer Ewigkeit die Tante vom Brenner beim Anstellen für die Osterbeichte tot umgefallen ist, da ist er es gewesen, der aus dem Katalog vom Leichenbestatter die Worte für das Trauerbillett aussuchen hat müssen. Die Leichenbestatterin hat dann ganz ehrlich zugeben müssen, daß das wirklich das schönste war, was er ausgesucht hat, paß auf:

«Der Tod ist groß.
Wir sind die Seinen
lachenden Munds.
Wenn wir uns mitten im Leben meinen,
wagt er zu reimen
mitten in uns.»
Nein, Moment:
«Wagt er zu *weinen*
mitten in uns.»

So ist es richtig. Und ich muß ganz ehrlich sagen, wenn ich heute ein Trauerbillett-Gedicht aussuchen müßte, würde ich das auch nehmen. Weil schon gewaltig: Wagt er zu weinen. Das mußt du dir so richtig auf der Zunge zergehen lassen. Da mußt du aufpassen, daß du nicht selber anfängst zu weinen oder zumindest ein bißchen ding wirst. Das mit «Munds» gefällt mir weniger, aber wahrscheinlich muß es so sein.

Jetzt paß auf. Das Begräbnis von seiner Tante ist über zehn Jahre her gewesen. Und das Gedicht ist im Kopf vom Brenner mindestens so gut verscharrt gewesen wie die Tante im Puntigamer Friedhof, sprich: komplett aufgelöst. Aber daß es so was gibt: Wie der Hansi Munz um Mitternacht zum Brenner sagt: «Der Groß ist tot», ist das komplette Gedicht aus seinem Grab gestiegen, ganz ähnlich wie in der vorigen Nacht die Haare von der Angelika, praktisch Geisterstunde.

Und ich muß ehrlich sagen, das kann ich gut verstehen, daß der Brenner keine Lust gehabt hat, dem Munz die ganze Geschichte zu erzählen. Er hat ja endlich wissen wollen, wieso der Groß tot ist.

Aber leider. Ein Wort ergibt das andere. Und beim Hineingehen der Hansi Munz immer noch wütend: «Sicher hast du gelacht!»

Und ich weiß nicht, ist es die aufgescheuchte Stimmung im Hof gewesen, diese unnatürliche Atmosphäre mitten in der

Nacht, das ganze Haus in heller Aufregung, obwohl ja in der Nacht nur die Freiwilligen fahren, von denen kein einziger im Haus wohnt. Oder hat der Brenner doch im Café Augarten ein Bier zuviel erwischt, daß er jetzt zum Hansi Munz gesagt hat: «Der Tod ist groß, wir sind die Seinen lachenden Munds.»

«Was redest du da?»

«Ach, nichts. Was ist passiert mit dem Groß?»

«Du hast Munz gesagt!» hat der Hansi Munz aber nicht lockergelassen.

«Ich hab nicht Munz gesagt. Ich hab *Munds* gesagt. Das ist so ein Gedicht.»

Und jetzt hat er dem Munz doch noch die ganze Geschichte mit dem Gedicht erklären müssen. Bis der endlich zufrieden gewesen ist, sind sie schon vor der Funkzentrale beim Freiwilligen Fürstauer angekommen.

Und wenn es schon ungewöhnlich ist, daß ein Professioneller mit einem Freiwilligen überhaupt redet, dann natürlich völlig unvorstellbar, daß dabei der Freiwillige das Sagen hat. Jetzt natürlich schon gespenstisch: Mitternacht, ein Toter in der Garage und ein Freiwilliger im Mittelpunkt.

«Soll ich jetzt vielleicht alles noch einmal erzählen?» hat der Freiwillige Fürstauer den Brenner genervt gefragt. Weil der Fürstauer ist ein gescheiter Mensch gewesen, der hat genau gewußt, daß er nicht ewig der Star bleiben wird. Jetzt mußt du dich mit der Allüre beeilen, wenn du was davon haben willst.

«Wo hast du ihn denn gefunden?»

«Um 21 Uhr 20 ist der Notruf hereingekommen», hat der Freiwillige Fürstauer wieder bei Adam und Eva angefangen. «12, Motorradunfall. Mein Fahrer ist der Mraz gewesen. Der wird gerade von der Kripo vernommen, drinnen im Kursraum. Obwohl ich denen eh schon alles erzählt habe. Und bestimmt besser als der Mraz. Bevor ich in die Landesregierung gewechselt bin, war ich ja elf Jahre Volksschullehrer. Und das haben die Kinder nicht und nicht begriffen: den Unterschied zwischen Inhaltsangabe und Nacherzählung. Aber ich habe es noch jedem eingetrichtert. Am Ende der Volksschule hat es jedes von meinen Kindern gewußt: Inhaltsangabe nur fünf Zeilen oder überhaupt nur ein Satz. Vielleicht sechs Zeilen, wenn einer eine große Schrift hat. Und im Gegensatz dazu: Nacherzählung auch mit Details.»

«Probier es mit der Inhaltsangabe.»

Der Freiwillige hat den Brenner ein bißchen an den Turnlehrer erinnert, den er im Puntigamer Gymnasium gehabt hat. Ganz eine ähnliche Glatze, und genau wie der Fürstauer hat der Turnlehrer sich links die Haare lang wachsen lassen und dann bis zum rechten Ohr hinübergeschleckt. Eigentlich eine raffinierte Lösung, nur wenn der Turnlehrer selber einmal einen Schritt gelaufen ist, haben sich vor lauter Einsatz die Haare vom Schädel gelöst und sind ihm ganz einseitig auf die linke Schulter hinuntergehängt.

Und wie der Brenner jetzt das mit der Inhaltsangabe gesagt hat, hat er den Eindruck gehabt, daß sich beim Freiwilligen Fürstauer ebenfalls die hinübergeleckten Schädelhaare ein bißchen abgelöst haben. Als hätte genau in dem Moment die Spucke ihre Klebekraft verloren. Muß natürlich nicht unbedingt die Kränkung gewesen sein, die ihm die Haare aufgestellt hat. Könnte auch einfach der Nachtwind gewesen sein, der ein bißchen mit den Fürstauer-Haaren gespielt hat.

«Ich muß gar nichts erzählen», hat der Fürstauer mit einer Frostmiene gesagt, daß der Brenner auf einmal gespürt hat, wie kühl es nach Mitternacht im Juni noch werden kann.

Aber wie gesagt. Der Fürstauer ist ein gescheiter Mensch gewesen, sonst hätte er es nicht bis zum Volksschullehrer gebracht. Pädagogische Akademie und alles. Und dann sogar der Wechsel in die Landesregierung. Er wäre zwar lieber Lehrer geblieben. Aber leider die Verleumdungsgeschichte. Kaum daß er den Kindern alles eingetrichtert hat, sind sie zur Polizei gegangen und haben alles nacherzählt.

Das ist aber auch schon wieder fünfzehn Jahre her gewesen. Und seit damals ist er nie wieder von einer Schar derart interessierter Zuhörer umringt gewesen. Jetzt hat er sich den Spaß nicht von einer kleinen Provokation verderben lassen. Und nach einer kurzen Schweigesekunde, so wie man einen vorlauten Volksschüler kurz schmoren läßt, hat er weitergeredet.

«Wie wir am Unfallort ankommen, natürlich erster Handgriff die Vakuummmatratze herausholen. Weil bei Motorradfahrern weißt du es ja nie mit der Wirbelsäule, und da tu ich nie was ohne Vakuummmatratze. Der liegt vielleicht noch frisch vergnügt auf dem Asphalt, man glaubt, er hat nur ein bißchen einen Schock, und in der nächsten Sekunde ist er querschnittgelähmt, weil du ihn falsch angegriffen hast. Und auf der Vak ist er eingegossen wie in eine Wachsschicht.»

«Ach, darum sehe ich meine Motorradfahrer immer ein Jahr später im Fernsehen bei der Rollstuhl-Olympiade», hat jetzt der Hansi Munz dazwischengemault, «weil ich immer die Vak vergesse.» Weil soweit kommt es noch, daß dir ein Freiwilliger deine Arbeit erklärt.

Aber der Fürstauer hat sich nicht aus der Ruhe bringen lassen: «Bei Motorradfahrern immer die Vak, sage ich. Im Normalfall. Aber heute alles andere als Normalfall. Wie ich die Schiebetür vom 740er aufreiße, damit ich die Vak heraushole, ist die Vak schon besetzt. Ohne Uniform hätte ich den Bimbo bestimmt nicht erkannt.»

Der Fürstauer hat auf einmal einen so verbitterten Gesichtsausdruck bekommen, daß er sogar ausspucken hat müssen, und dann hat er gesagt: «Da möchte ich jetzt einmal hören, was ein Uniformkritiker dazu zu sagen hätte.»

Du mußt wissen, daß es im Umfeld von den Rettungsorganisationen immer wieder die Uniformkritiker gegeben hat.

Also nicht bei den Rettungsmännern selber, aber sagen wir einmal: Krankenschwestern, oder diese Hippie-Krankenpfleger, die den ganzen Tag Schamhaare rasieren müssen, nur der eigene Vollbart hat noch nie eine Schere gesehen. Aber dann am Abend groß die Klappe aufreißen und sich als Uniformkritiker aufspielen.

Bei den Männern selber ist sowas natürlich nicht vorgekommen. Und so lange der Alte gewesen ist, natürlich sowieso keine Chance für die Uniformkritiker. Und unter uns gesagt: Uniformverzicht wäre der Tod für jede Rettungsorganisation. Weil die meisten Freiwilligen sind ja nur wegen der Uniform dabei. Da war der Fürstauer nicht die große Ausnahme.

«Zuerst habe ich noch geglaubt, der Bimbo schläft auf der Vak seinen Rausch aus. Weil ehrlich gesagt, es wäre nicht das erste Mal gewesen, daß etwas in der Art vorkommt.»

«Was du nicht sagst.»

«Aber dann», hat der alte Oberlehrer den Hansi Munz ignoriert, «ist mir gleich aufgefallen, daß der Bimbo so einen roten Schädel hat. Zwar hat der Bimbo immer einen relativ roten Schädel gehabt. Aber natürlich einen derart roten Schädel und derartige Stielaugen und eine Zunge, die sich komplett über seinen Schnurrbart hinaufrollt, hat der Bimbo nicht einmal im Vollrausch gehabt. Und es ist ja wirklich nicht vom Alkohol gekommen. Es ist von dem millimeterdünnen Blutstrich gekommen, den der Bimbo rund um den Hals gehabt hat. Das muß nur ein hauchdünner Draht gewesen sein. Ich habe sofort in die Zentrale gefunkt: Der Groß ist tot.»

Der Groß. Nicht: der Bimbo. Und ab diesem Moment haben alle nur noch Groß gesagt, niemand mehr Bimbo. Weil wie gesagt Respekt vor den Toten.

«Seit wann darf ein Sanitäter den Tod feststellen?» hat sich wieder der Munz eingemischt. Aber der Fürstauer – ganz pädagogische Akademie – hat den ungezogenen Zuhörer einfach ignoriert: «Die Funkzentrale hat dann einen Ersatzwagen für den Motorradfahrer geschickt, aber bis der endlich gekommen ist, ist der Motorradfahrer schon wieder gestanden. Wenn ihn nicht die Polizei gezwungen hätte, daß er zum Alkotest mitfährt, hätte der sich gleich wieder auf seine verbogene Maschine gesetzt.»

«Der hat schon wieder den nächsten Reisebus über den Haufen fahren wollen», hat ein junger Freiwilliger trocken dazwischengeschoben. Der ist sogar noch halb im Stimmbruch gewesen und hat noch nicht einmal einen richtigen Schnurrbart gehabt. Auch keinen flaumigen Damenbart wie der Hansi Munz, sondern nur so einzelne Haarfäden wie ein schlecht gesengtes Schwein oder wie der Verkehrsstadtrat Svihalek. Jetzt hat er sich um einen um so trockeneren Spruch bemüht. Aber sein Schmäh ist nicht zur Geltung gekommen, weil der Munz schon wieder gejeiert hat: «Drehen jetzt die Freiwilligen schon ganz durch? Seit wann darf ein Sanitäter den Tod feststellen? Was ist überhaupt mit der Funkdisziplin bei den Freiwilligen?»

«Funkdisziplin», hat der Fürstauer verächtlich ausgespuckt, und dann hat er seinen größten Trumpf ausgespielt: «Wenn du den Groß gesehen hättest.»

Weil natürlich: Keiner von den Anwesenden hat ihn gesehen. Außer dem Freiwilligen Fürstauer. «Wie wir ihn aufgesetzt haben, ist ihm die Zunge bis zu den Knien hinuntergehängt.»

«Wie diese Frau mit dem Knieschuß, die ich einmal geliefert habe», hat der Hansi Munz wieder gegackert. «Selbstmordversuch! Aber sie hat sich vorher beim Arzt erkundigt, wo das Herz ist. Und was glaubt ihr, was der gesagt hat?»

«Das ist ein alter Witz», hat der Brenner gemurrt.

«Zwei Zentimeter unter der Brustwarze», hat der Hansi Munz gejault.

Dem Brenner ist auf einmal vorgekommen, als wäre der Geist vom Bimbo in den Hansi Munz gewandert, weil soviel

Blödsinn hat normalerweise nur der Bimbo geredet. Und während er noch darüber nachgedacht hat, ob es so was geben kann, hat er den Fürstauer gefragt: «Wo ist der Groß jetzt überhaupt?»

«Immer noch im 740er. Die Kripo hat die Garage versiegelt und den Bimbo vorläufig einmal dort liegen lassen, damit keine Spuren verwischt werden.»

Aber da muß ich schon sagen, es ist unglaublich. Die Garagentür haben sie so großartig abgeklebt, daß man fürchten hat müssen, die ganze neue Rettungsstation fällt zusammen, wenn jemand die Klebebänder herunterreißt. Aber die kleine Verbindungstür von der 730er-Garage zur 740er hinüber haben sie nicht abgeklebt!

Im nächsten Augenblick sind die wichtigen fünf Minuten im Fürstauer-Leben vorbei gewesen. Er ist die längste Zeit der einzige gewesen, der den toten Bimbo gesehen hat. Weil natürlich die halbe Mannschaft hinter dem Brenner her in die 730er-Garage und durch die schmale Verbindungstür in die 740er hinüber. Nur die allerbravsten von den Freiwilligen haben sich nicht hineingetraut.

Aber wie der Brenner dann den 740er auch noch aufgemacht hat, sind die ersten wieder umgedreht, und wie er eingestiegen ist und auch noch den Leichsack vom Bimbo heruntergezogen hat, sind sie nur noch zu sechst in der Garage gewesen. Weil natürlich Schiß, der Junior oder die Kripo, die im Schulungsraum im zweiten Stock den Mraz vernommen hat, könnten auf einmal auftauchen.

Und wie der Brenner den Bimbo dann auch noch ein bißchen untersucht hat, sind sie überhaupt nur mehr zu viert gewesen.

«Das würde ich lieber nicht tun», hat der Fürstauer hysterisch gewarnt, wie sich der Brenner am Hals vom Bimbo zu schaffen gemacht hat. Dabei hat der Fürstauer da noch geglaubt, daß er sich nur die Wunde genau anschauen will. Er hat ja noch gar nicht wissen können, daß der Brenner im nächsten Moment wie der reinste asiatische Wunderheiler mit seinen Fingern zentimetertief in die hauchdünne Wunde hineinfährt.

Vor Schreck hat der Fürstauer dazu überhaupt nichts gesagt. Und der Horak auch nicht. Und der Hansi Munz auch nicht.

Aber gekotzt haben sie auch nicht. Obwohl es sie bestimmt viel Beherrschung gekostet hat, wie der Brenner das Goldkettchen aus dem Bimbo-Hals herausgefieselt hat.

«Mönch und Nonne», hat der Brenner gesagt.

«Dichtest du schon wieder?» Der Hansi Munz hat zuerst geglaubt, daß der Brenner einen Schock hat. Aber natürlich bekannte Tatsache, daß Menschen, die einen Schock haben, oft glauben, daß die anderen einen Schock haben.

«Das ist der Grund, warum das Goldkettchen nicht abgerissen ist», hat der Brenner erklärt.

«Mönch und Nonne», hat der Hansi Munz in seinem Schock widergehallt.

«Hat dir der Bimbo nie das Prinzip von seinem neuesten Goldkettchen erklärt? Er ist doch jedem damit in den Ohren gelegen: nicht kreuzgeschweißt. Sondern Mönch-und-Nonne-Prinzip. So wie die Dachziegel verhakt werden.»

«Wieso heißt das Mönch und Nonne?»

«Dreimal darfst du raten. Weil der eine Teil einen Schlitz hat, und beim anderen steht was heraus.»

«Und das ist was Besonderes?»

«Das siehst du ja. Es reißt nicht ab. Obwohl es so dünn ist. Der Bimbo hat gesagt, daran kann man einen Flügel aufhängen.»

«Ein Flügel wiegt ja nichts.»

«Er hat aber ein Klavier gemeint.»

«Und du hast das gewußt? Dann bist du ja verdächtig.»

Der Brenner hat dem Bimbo sorgfältig rundherum das Halskettchen aus dem Hals gefieselt, bis es wieder schön auf den Schlüsselbeinen gelegen ist wie zu den besten Bimbo-Zeiten. «Erinnerst du dich noch, wie der kleine Berti dem Bimbo erklärt hat, daß der Dreck aus dem Hals herauskommt?»

«Ja und?»

Der Brenner hat auf das blutverschmierte Goldkettchen gedeutet: «Weil heute wirklich der Dreck aus dem Hals herausgekommen ist.»

«So hat es der kleine Berti aber nicht gemeint. Sonst wäre er verdächtig.»

«Bei dir ist man aber schnell verdächtig.»

«Das ist ja das Blöde bei so einer Sache. Daß jeder sofort verdächtig ist. Darum bin ich froh, daß sie ihn schon haben.»

Gerade hat sich der Brenner noch gedacht, daß der tote Bimbo ziemlich blöd schaut. Und jetzt hat er selber noch ein bißchen blöder geschaut: «Was sagst du? Wen haben sie?»

«Den Lanz.»

Und dann ein Donnerwetter, daß man glauben hätte können, in allen 23 Bezirken von Wien ist gleichzeitig 27 ausgebrochen, praktisch: Rette sich, wer kann. Weil für die Kripobeamten war es wirklich eine Katastrophe, wie sie gesehen haben, daß da einer an ihrer Leiche herumhantiert.

Sie waren zu viert, zwei Uniformierte und zwei mit Sportsakko. Aber interessant! Obwohl die beiden praktisch das gleiche Sakko getragen haben, erkennst du es am Sakko, wer der Chef ist. Aber vielleicht war es nicht nur das Sakko. Weil der Chef war natürlich auch der, der nicht geschrien hat. Schreien tut auf dieser Welt immer der Stellvertreter.

«Ausweis!» hat der Stellvertreter geschrien.

«Müßte ich holen. Ich wohne hier im Haus.»

«Nichts da! Sie kommen gleich mit uns!»

«Mitnehmen könnten Sie mich aber nur, wenn ich durch die abgeklebte Tür gegangen wäre. Aber Sie haben ja die Seitentür vergessen. Dabei lernt man das am ersten Tag beim Franzi: ‹Die Seitentüren und Fenster ebenfalls abkleben›», hat der Brenner den Hofrat Franzmeier mit seinem s-Fehler nachgemacht, der zwanzig Jahre lang Leiter der Kripo-Ausbildung gewesen ist.

Dem Stellvertreter ist der nächste Schrei im Hals steckengeblieben. Daß die Seitentür nicht abgeklebt war, war natürlich sein Fehler, da hat er momentan lieber nicht zu seinem Chef hinübergeschaut. Und die Erwähnung vom Franzi hat ihm den Rest gegeben.

Aber in so einer Situation muß ein Chef natürlich zu seinem Untergebenen halten und sich den Rüffel für später aufheben. «Ex-Kollegen, die sich in unsere Arbeit einmischen, sind uns überhaupt die liebsten», hat der nur verächtlich gesagt.

Aber wie ihm der Brenner dann das Goldkettchen am Hals vom Bimbo gezeigt hat, ist er still gewesen.

«Wieso haben Sie das gewußt?» hat der Stellvertreter dafür wieder die Sprache gefunden.

«Er hat immer eines getragen. Deshalb habe ich es gesucht. Aber so schwer war es gar nicht zu finden, weil hinten unter dem Kragen ist sogar noch ein Stück herausgestanden.»

Da gibt es gewisse Cheftypen, die nicht nicken können. Nicht weil sie so einen Stierhals haben, sondern weil sie sich zu gut zum Nicken sind, quasi: Da mußt du erst noch einen halben Meter wachsen, bevor wir auf einer Nick-Ebene sind. Sprich: Es ist schon Nicken genug, wenn ich dir zwei Sekunden lang still in die Augen stiere, statt dich zusammenzuschnauzen auf einen Meter fünfzig.

Und nach den zwei Sekunden hat der Kripomann im Chefsakko seine glasigen Cholerikeraugen vom Brenner abgezogen und seinen uniformierten Kollegen befohlen, daß sie den Lanz ins Untersuchungsgefängnis und danach den Bimbo zur Autopsie bringen sollen.

«Und du bleibst so lange hier und paßt auf, daß nicht noch ein paar Wahnsinnige die Spuren verwischen», hat er zu seinem Sakko-Zwilling gesagt.

Draußen hat gerade der Junior alle aus dem Hof hinausgestaubt, praktisch: Am liebsten würde ich das ganze Gesindel mit dem neuen Raab-Kärcher-Hochdruckschlauch hinauskärchern. Jetzt ist der Brenner froh gewesen, daß er sich noch in dem allgemeinen Durcheinander in das Haus verdrücken kann.

«Brenner», hat der Junior gesagt, wie der Brenner an ihm vorbei ist. Sonst nichts, nur: «Brenner.»

Wie er seine Wohnungstür aufgesperrt hat, hat sich der Brenner immer noch überlegt, ob das ein Gruß war oder eine Drohung oder ein Hilferuf.

Aber lange hat er nicht darüber nachgedacht. Weil er hat gesehen, daß ihm jemand unter der Tür einen handgeschriebenen Zettel durchgeschoben hat. «Bitte ruf mich an: 47.»

Jetzt glaubst du bestimmt, 47 ist eine Krankheit. Und da liegst du gar nicht so falsch, weil für mich persönlich ist das Telefon wirklich eine Krankheit. Aber paß auf, was ich dir sage.

Früher haben sie auch im Haus untereinander über das normale Telefonnetz telefoniert, da haben sie die normalen Gesprächsgebühren zahlen müssen. Aber dann, wie sie die neue Funkzentrale mit der neuen Telefonanlage bekommen haben, hat ihnen der Junior auch im Haus alles auf Nebenstelle schalten lassen, und seither haben sie stundenlang untereinander telefonieren können, und hat sie keinen Schilling gekostet. Und 47 ist die Haustelefonnummer vom Lanz gewesen.

Obwohl der Brenner gesehen hat, wie die Uniformierten mit dem Lanz abgefahren sind, hat er die Nummer sofort gewählt.

«Lanz?»

«Dein Vater hat mir einen Zettel unter die Tür geschoben», hat der Brenner zur Angelika gesagt.

«Das war nicht mein Vater. Das war ich.»

«Was gibt's?»

«Kannst du vielleicht noch auf einen Sprung bei mir vorbeischauen?»

Wie er aus seiner Wohnung hinausgegangen ist, hat er schon gehört, daß oben eine Tür aufgeht, und bevor er dazu gekommen ist, hat die Angelika schon das Ganglicht für ihn aufgedreht. Die Lanz-Wohnung ist ja nur einen Stock über seiner eigenen gelegen.

Sogar zum grauen Jogginganzug hat die Angelika ihren Gürtel mit der goldenen ESCAPADE-Buchstabenschnalle getragen, ohne den der Brenner sie überhaupt noch nie gesehen hat. Und man hat sie untertags ziemlich oft gesehen, weil sie erst am Abend irgendwo serviert hat.

«Bist du heute früher nach Hause gekommen?» hat der Brenner sie gefragt, so wie man eben irgend etwas sagt, damit es nicht so peinlich wird, wenn man mitten in der Nacht zu einer Frau auf Besuch kommt.

Sie hat aber nicht muh und nicht mäh gesagt, hat dem Brenner nur die Tür aufgehalten und ihn in die Küche geführt, die genau gleich schmal war wie die vom Brenner.

«Magst du was trinken? Ich hab aber nur Kaffee.»

«Nein, danke.» Dem Brenner ist sowieso schon fast schlecht gewesen von dem Neonlicht, das die Kochnische wie einen Operationssaal ausgeleuchtet hat. Oder vielleicht soll man nicht immer alles auf das arme Neonlicht schieben. Vielleicht war es auch noch ein bißchen die Nachwirkung von seiner Goldkettchen-Obduktion.

«Um die Zeit Kaffee», hat die Angelika entschuldigend gelächelt. «Aber mir macht er nichts. Und heute kann ich sowieso nicht schlafen.»

«Was war los mit deinem Vater?»

Sie hat so geraucht, daß sich ihre Wangen bei jedem Zug zentimetertief eingedellt haben. Als wäre es umgekehrt, sprich: die ganze Kochnische voller lebensgefährlicher Rauchgase, und nur durch den Kim-Filter kommt ein bißchen Sauerstoff herein.

Sie hat sich nicht zum Brenner an den Tisch gesetzt, sondern sich an den Kühlschrank gelehnt, so daß drei, vier Meter zwischen ihr und dem Brenner waren. «Die glauben, daß er den Groß erwürgt hat.»

«Was sagt dein Vater dazu?»

«Ich weiß es nicht. Sie haben ihn gleich mitgenommen.»

«Hat er einen Anwalt?»

«Der Junior hat den Hausanwalt angerufen.»

«Glaubst du, daß er es war?»

Sie hat den Kopf geschüttelt. Ganz langsam, so als würde sie nicht den Kopf schütteln wollen, sondern in der Luft wittern, in welcher Richtung die Wahrheit liegt, quasi Tierfilm im Fernsehen.

Und erst wie die Kim aufgeraucht war, hat sie gesagt: «Die Idioten glauben, wegen der Geschichte im Kellerstüberl.»

Der Brenner hat nicht recht gewußt, wo er hinschauen soll. Innerlich hat er genickt. Aber äußerlich hat er nicht genickt. Und auf einmal ist ihm aufgefallen, daß er es genauso macht wie der Kripochef im Sportsakko. Nicht einmal nicken. Nur stur geradeaus glotzen.

Ohne den Sportsakko-Polizisten wäre es ihm bestimmt nicht aufgefallen, daß er der Angelika gegenüber den depperten Nicht-Nicker spielt. Aber wie es ihm jetzt aufgefallen ist, hat er schnell gesagt: «Und deshalb haben sie ihn gleich mitgenommen?»

«Der Bimbo hat ihn die ganze Zeit provoziert.»

«Na und? Deshalb bringt man einen nicht gleich um.»

Die Angelika hat wieder ihr nachdenkliches Tierfilm-Gesicht gemacht. Ich bin nicht der Doktor Doolittle aus dem Fernsehen, aber wenn ich diesen Blick übersetzen müßte, würde ich raten, daß die Angelika mit dem Tierblick gesagt hat: Da wäre ich mir nicht so sicher, daß man deswegen einen Bimbo nicht abwürgt.

Aber wirklich gesagt hat sie nur: «Das ist noch nicht alles. Mein Vater ist heute mit dem Bimbo im 740er gefahren.»

Der Brenner hat nicht genickt. Nicht einmal innerlich.

«Aber er ist es trotzdem nicht gewesen», hat die Angelika gesagt, während sie sich mit einem Blutspende-Feuerzeug die nächste angezündet hat.

Trotz Neonlicht ist dem Brenner die Angelika heute viel hübscher vorgekommen als sonst. Wenn du bei der Polizei arbeitest, kannst du diese Beobachtung immer wieder machen. Das erste Mal ist es dem Brenner aufgefallen, wie die Frau von seinem Kollegen Knoll tödlich verunglückt ist. Das war noch in seiner Uniformzeit, also über fünfzehn Jahre her. Eine kleine lustige Kärntnerin, gute Schifahrerin, die immer zu schnell mit dem Auto unterwegs war. Ich glaube, sie hat es genossen, daß sie als Polizistengattin die Strafzettel für Schnellfahren wegwerfen hat können.

Nach dem Unfall ist dem Brenner dann aufgefallen, wie sich sein Kollege verändert hat. Das klingt jetzt bestimmt irgendwie ding, aber ich kann es nur so sagen: Die Traurigkeit hat den Knoll irgendwie schön gemacht. Ausgerechnet den Knoll, dem der Simpel sonst bei den Augen herausgeschaut hat, außer Schifahren und Fernsehen nichts im Schädel, und fett ist er auch schon geworden mit seinen fünfunddreißig Jahren.

Im Lauf der Jahre ist es dem Brenner dann immer wieder aufgefallen. Diese Aura bei den verzweifelten Menschen. Beim Knoll hat sich die Aura dann allerdings bald wieder verflüchtigt. Er hat nach dem Trauerjahr eine Friseurin geheiratet. Und Trockenhaube natürlich ganz schlecht für die Aura.

Die Angelika Lanz hat auch fürchterliche Friseurhaare gehabt. Du weißt schon: tausendmal blondiert und dauergewellt.

73

So lange, dürre Zotteln, wie sie die Natur nie zusammenbringen würde, aber der Friseur bringt sie zusammen.

Und trotzdem hat der Brenner jetzt nichts von dem Nuttigen entdecken können, das die Angelika sonst immer ausgestrahlt hat. Eine schöne, traurige Frau. Mit einer Aura, hat sich der Brenner gedacht. Und mit einer Zigarette. Und mit einer Frage.

«Bist du nicht früher einmal Detektiv gewesen?»

Scheiße, hat sich der Brenner gedacht. Nur nicht nicken.

6

Es ist ein Gesetz: Wenn du niemanden für die Liebe hast, mußt du ewig suchen, bis du wen findest. Aber kaum daß du wen gefunden hast, laufen dir am selben Tag noch drei andere über den Weg. Jetzt dieses Gesetz auf das Detektivische übertragen: Kaum daß der Brenner den Detektiv an den Nagel gehängt hat, trifft er jeden Tag auf einen neuen Auftraggeber.

Und auch wie im Vergleich: Der Brenner hat nicht unbedingt das Gefühl gehabt, daß sich die Anliegen vom Junior und von der Angelika so einfach unter einen Hut bringen lassen. Und zwischen den Stühlen immer gefährlich, daß du dir die Hämorrhoiden verkühlst.

Wie er am nächsten Tag kurz vor vier zum Junior zitiert worden ist, ist ihm sofort aufgefallen, wie schlecht der ausgesehen hat. Da gibt es Menschen, die sehen immer schlecht aus, bei denen ist es ein gutes Zeichen, wenn man violette Ringe unter den Augen erkennt. Weil das bedeutet, daß sie einmal eine Nacht nicht durchgezecht haben, so daß sich rund um die Ringe zum Kontrast ein bißchen Gesichtsfarbe gebildet hat. Aber wenn ein Mensch, der immer soviel Wert auf Sportlichkeit und Gesundheit legt wie der junge Kreuzrettungschef, auf einmal aussieht wie die Rauschgiftsüchtigen, die sie sonst in die Notaufnahme transportieren, dann natürlich Alarm.

Sein Schnurrbart ist heute nicht so ein scharfer Keil gewesen, daß du dir daran eine Bierflasche aufmachen könntest. Nicht mehr Bomberpilot, sondern ein bißchen schlaff. Fast ein bißchen wie bei diesem berühmten Philosophen, warte einmal, wie hat der jetzt schnell geheißen, der das mit der Peitsche herausgefunden hat. Du weißt schon, so ein Seehundsbart, wo es mit den Speiseresten oft schwierig wird. Wo man die Frittatensuppe irgendwie am Schnauzer vorbeischwindeln muß.

Aber interessant, wie oft das Äußere zusammenpaßt! Weil dem Junior ist über Nacht nicht nur sein Schnauzbart erschlafft, sondern er hat heute auch ein bißchen philosophisch dahergeredet:

«Das Rettungswesen ist eine der größten Errungenschaften unserer Zivilisation.»

Und wenn du sonst alles vergißt, eines möchte ich dir gern mit auf den Lebensweg geben: Bei einem Menschen, der so gesalbt daherredet, kannst du immer davon ausgehen, daß er etwas zu verbergen hat. Jetzt hat der Brenner natürlich gleich gewußt, daß der Junior nicht zugeben möchte, wie ihn der Tod vom Bimbo mitnimmt. So wie der Hansi Munz in der Nacht unerträglich schnoddrig geworden ist, um sich nichts anmerken zu lassen, hat der Junior jetzt unerträglich gesalbt dahergeredet:

«Der Gedanke des Rettungswesens ist genau hundertneununddreißig Jahre alt.»

Jetzt natürlich Schlacht von Solferino, sinnloses Gemetzel, Henri Dunant und alles. Das hätte er dem Brenner nicht unbedingt erzählen müssen. Weil das hat der Brenner schon bei seiner Sanitäter-Einschulung zehnmal am Tag gehört. Daher verständlich, daß der Brenner gedanklich ein bißchen abgeschweift ist: Diese französischen Namen klingen doch alle gleich – Henri Dunant, Brigitte Bardot und, und, und.

«Aber wissen Sie, womit der Gedanke des Rettungswesens untrennbar verknüpft ist?»

Paß auf, was ich dir sage. Weil ich vorher überlegt habe, oft komische Zusammenhänge, philosophischer Schnurrbart und *philosophisches Reden. Und jetzt unglaublich: zuerst Gedan*kenabschweifung über die französischen Namen – und dann das französische Erlebnis. Weil der Brenner hat jetzt so ein Déjà-vu-Erlebnis gehabt, daß ihm fast der Plastiksessel unter dem Hintern verdunstet wäre.

Auf einmal ist er wieder auf dem Holzstuhl in der Polizeischule gesessen, wo sie ihnen auch immer diese Weisheiten hineingedrückt haben. «Die Exekutive ist eine der drei Säulen der Demokratie.» Diesen Satz hat der Brenner in der Polizeischule so oft gehört, daß er damals automatisch angenommen hat, er stimmt nicht, praktisch Trotzcharakter. Und was er dann im Polizeidienst in dieser Hinsicht erlebt hat, damit möchte ich jetzt lieber gar nicht anfangen, sonst springst du mir noch von der Brücke.

Aber polizeiliche Gewalt, da kann man immer viel diskutieren. Das ist auch wichtig für die jungen Leute, daß sie das diskutieren, so wie es für einen Hamster wichtig ist, daß er sich die Zähne an den Gitterstäben von seinem Käfig ein bißchen abschleift. Der Hamster, den der Brenner als Kind von seinem Großvater bekommen hat, hat das auch immer gemacht.

«Der Gedanke des Rettungswesens», hat der Junior den Brenner aufgeschreckt, der sich gerade geärgert hat, daß ihn das nervende Hamster-Rattern am Einschlafen hindert, «ist überhaupt nur denkbar durch die hundertprozentige Unparteilichkeit des Rettungswesens. Das Rettungswesen muß neutral sein. Nur so können wir in den Kriegen die Verletzten beider Seiten betreuen. Hundertprozentige Neutralität. *Tutti fratelli* ist das Motto von Henri Dunant. Alle sind Brüder.»

«Jaja. Sonst würden uns ja die Kriegsparteien gar nicht hineinlassen in die ganzen Sperrzonen.»

«So ist es. Auf der ganzen Welt. Angola, Mozambique, wo du hinschaust. Da darf es keine Diplomatie und kein gar nichts geben. Nur hundertprozentige Neutralität.»

Es ist zwar jeden zweiten Tag in der Zeitung gestanden, daß es nicht so weit her war mit der Rettungsneutralität. Aber der Brenner hat lieber nichts gesagt. Chefleute brauchen das manchmal, daß sie ihren Sermon herunterbeten, an den sie selber nicht einmal glauben. Und der Brenner hat sich gedacht, der Junior will eben nicht zugeben, daß ihn der Tod vom Bimbo so mitnimmt.

Aber dann hat der Junior den Brenner doch noch überrascht, wie er auf einmal konkret geworden ist: «Sie haben Matura, Sie müssen wissen, was 1934 gewesen ist.»

Wo sind wir denn da eigentlich, hat sich der Brenner zuerst innerlich wahnsinnig aufgeregt. In der Schule oder was? Werde ich da Jahreszahlen abgeprüft oder wie?

Aber wenn du dich aufregst, schüttet der Körper gewisse Substanzen aus, und mit diesen Substanzen funktioniert auch das Gedächtnis besser.

«Bürgerkrieg in Österreich», hat der Brenner wie aus der Pistole geschossen geantwortet.

Aber statt daß der Junior ihn gelobt hätte, hat er so betroffen geschaut, als wäre die Antwort falsch. Es war aber nicht die Antwort vom Brenner, was ihn bedrückt hat. Es war das, was dahintergesteckt ist: «Beim Bürgerkrieg haben wir in Wien unsere Neutralität verloren. Die Faschisten haben den Rettungsbund aufgelöst. Und dann haben wir die verwundeten Arbeiter nicht versorgt. Das ist ein fürchterlicher Fehler gewesen. Das war ein Wahnsinn.»

«Heute haben die Arbeiter eh wieder ihren eigenen Verein. Der Rettungsbund heißt doch eigentlich Arbeiterrettungs –»

«Das ist ja der Wahnsinn!» hat der Junior den Brenner auf einmal angebrüllt. Eigentlich müßte ich sagen, angeschnauzt: Weil in der Wut hat sich der Schnauzbart wieder aufgestellt, den der Junior zuerst so philosophisch vom Kopf hängen hat lassen. Und würde mich nicht wundern, wenn da auch ein bißchen das Adrenalin dahintersteckt, daß das vielleicht ein bißchen wie beim Substral-Tag die Haarwurzeln stimuliert. «Das ist ja gerade der Wahnsinn! Das ist ja der ganze Wahnsinn, Brenner!»

Die Arbeiter würden ja heute sowieso nicht mehr leben. Da hätte der Brenner ruhig ein bißchen mitdenken dürfen.

Und dann hat der Junior noch ganz leise gesagt: «Und unser Verein wird auch nicht mehr lange leben, wenn der Rettungsbund so weitermacht.»

Der Brenner hat nichts dazu gesagt.

«Sagen Sie irgendwas.»

«Was soll man da sagen?»

«Ich habe gestern zwei meiner tüchtigsten Männer verloren, und das ist alles, was Ihnen dazu einfällt?»

Schön langsam ist er ein bißchen aggressiver geworden. Am Anfang philosophisch, aber schön langsam ein bißchen aggressiver. Jetzt hat der Brenner gewußt, daß er schön langsam das herauslassen wird, was er eigentlich schon die ganze Zeit sagen will.

«Der eine umgebracht. Und der andere verhaftet», hat der Junior geseufzt und seine Brille heruntergenommen. Es hat überhaupt nicht zu dem sportlichen Menschen gepaßt, daß er so eine komische Lesebrille getragen hat. Genausowenig wie das silberne Kettchen, das er immer am rechten Handgelenk getragen hat. Aber so gesehen hat der ganze Schreibtisch nicht zu ihm gepaßt. Der Junior war ja bekannt dafür, daß er am liebsten immer noch selber ausgefahren ist. Und dann natürlich nicht Lese-, sondern nur Sonnenbrille.

«Das ist alles, was Ihnen dazu einfällt?» hat er noch einmal unter der Hand, mit der er seine Nasenwurzel massiert hat, herausgemurmelt.

«Vielleicht ist es der Lanz ja gar nicht gewesen. Ich könnte ja versuchen, ob ich was herausfinde.»

Der Junior hat müde den Kopf geschüttelt: «Hören Sie mir überhaupt zu, Brenner?»

«Sie haben keine Zweifel, daß der Lanz es gewesen ist?» hat

sich der Brenner ein bißchen dumm gestellt, weil jetzt ist er doch neugierig gewesen, ob der Junior mit seinen Verdächtigungen auf den Rettungsbund vielleicht noch ein bißchen konkreter wird.

«Ich weiß, daß er es nicht gewesen ist», hat der Junior zum Plafond hinauf gesagt, als wäre er wieder mit seiner höheren Macht in Verbindung. «Aber der gute Lanz ist mir im Moment ziemlich egal. Es geht hier nicht um den Lanz. Es geht um das Überleben unserer ganzen Organisation!»

«Das klingt fast so, als würden Sie glauben, daß der Rettungsbund den Bimbo –» der Junior hat ihn so komisch angeschaut, daß der Brenner sich sofort korrigiert hat – «den Sanitäter Groß auf dem Gewissen hat.»

«Sie können ruhig Bimbo sagen.» Er hat kurz zur Decke hinaufgeschaut, aber im Moment ist offenbar nichts auf der Decke oben gestanden, weil er nichts weiter gesagt hat.

«Aber wieso gerade den Bimbo?»

«Denken Sie doch ein paar Wochen zurück.»

Der Brenner hat lieber nichts gesagt.

«Ich darf Ihnen nicht einmal die Hälfte von dem sagen, was ich weiß. Aber Sie wissen ja, wer der Stenzl war, der vor den Augen vom Bimbo erschossen worden ist.»

«Der Chef von der Blutbank.»

«Und der Bruder vom Rettungsbund-Chef.»

Woher soll ich das wissen, hat sich der Brenner gedacht. Der Mord vor zwei Wochen am Stenzl und seiner Freundin hat ihn nicht mehr interessiert als irgendein anderer Fall aus der Zeitung. Er hat nur mitgekriegt, wie sich der Bimbo und der Munz danach aufgespielt haben. Wie der Bimbo auf allen Stationen die Schwesternzimmer aufgemischt hat, als wäre er der reinste Hollywoodstar.

«Ja, sicher», hat der Brenner gesagt.

«Sie wissen aber nichts von den Problemen, die der Ret-

tungsbund mit der Blutbank gehabt hat. Wie der Rettungs-
bund-Stenzl seinen eigenen Bruder beim Rettungsbund hinaus-
gedrängt hat, hat er nicht damit gerechnet, daß der Leo Stenzl
die Blutbank übernimmt.»

Der Brenner hat darauf nichts gesagt.

«Aber Sie wissen, daß der Bimbo Tatzeuge war. Und Sie können zwei und zwei zusammenzählen.»

«Haben Sie den Leo Stenzl in die Blutbank hineingebracht,
nachdem er bei dem Rettungsbund hinausgeflogen ist?»

In der vierten Klasse Volksschule in Puntigam ist der Brenner einmal beim Sesselreiten ausgerutscht und mit dem Hinter-
kopf so auf dem Schreibpult hinter ihm aufgeschlagen, daß er
fünf Minuten bewußtlos war. Und nie wird er den besorgten
Blick der Lehrerin vergessen, den er beim Aufwachen gesehen
hat. Jetzt natürlich große Überraschung, daß er siebenunddrei-
ßig Jahre danach schon wieder so besorgt angeschaut wird.

«Es ist in dieser Stadt nicht mehr dasselbe», hat der Junior gesagt, «seit der Rettungsbund die Politik ins Spiel gebracht hat.
Ein einziger Rettungsverein könnte in dieser Stadt überleben
ohne Politik. Nur Spenden, keine Politik. Aber zwei Vereine
trägt die Stadt nicht. Da kommt die Politik ins Spiel.»

«Aber der Rettungsbund hat doch seine Sponsoren. Man
sieht ja fast kein Rettungsbundauto mehr ohne die Watzek-Be-
ton-Aufschriften.»

«Jaja, und die Todkranken glauben, sie werden von einem
Betonauto abgeholt statt von einem Rettungsauto.»

«Das ist eben die Privatwirtschaft. Die hat ihre eigenen Ge-
setze.»

«Privatwirtschaft, daß ich nicht lache! Dreimal dürfen Sie raten, wie gerade der Watzek zu so vielen öffentlichen Bauaufträ-
gen kommt.»

Der Brenner hat mit den Schultern gezuckt: «So ist das mit
den Idealen.»

«Aber trotz aller Politik hat uns der Rettungsbund nicht überholen können. Obwohl der Stenzl die besseren Kontakte zur Partei hat.» Und dann hat der Junior leise gesagt: «Jetzt greift er zu anderen Mitteln.»

«Sie glauben wirklich, daß der Rettungsbund etwas mit den Morden zu tun hat?»

«Der Unterschied zwischen glauben und wissen ist groß, Brenner. Genauso groß wie der Unterschied zwischen gestern und heute. Gestern habe ich zwei verläßliche, erfahrene Sanitäter gehabt. Und heute ist der eine von ihnen tot und der andere im Gefängnis. Und ich muß noch froh sein, daß sich die Sache so schnell aufgeklärt hat. Weil so wird die Geschichte nach ein paar Tagen wieder aus den Zeitungen verschwinden. Sonst könnten wir gleich zusperren.»

«Dabei haben wir noch Glück, daß die Zeitungen es gar nicht so schrecklich ausschlachten. Bisher zumindest.»

«Glück», hat der Junior von der Decke heruntergelesen. «Glück. Sie können es auch Glück nennen. Jetzt weiß ich zumindest, warum ich all die Jahre auf eine korrekte Zusammenarbeit mit den Zeitungen Wert gelegt habe. Wozu ich die ganze interne Kritik dafür eingesteckt habe, daß ich den Zeitungen inoffiziell erlaube, unseren Funk abzuhören. Sie wissen ja, wie es aussieht, wenn der Pressefotograf schon die Verletzten auf der Straße fotografiert, bevor wir dort sind. Aber heute bestätigt es sich doch, wie wichtig eine positive Zusammenarbeit mit den Medien für uns ist.»

«Ich habe nicht gewußt, daß die Presse unseren Funk abhört.»

Ein dünnes Lächeln ist unter dem Schnurrbart herausgekrochen. Eines von diesen Lächeln, die den Angelächelten als kleinen, naiven Vollidioten hinstellen.

«Haben Sie sich nie überlegt, wie die Zeitungen zu ihren Fotos kommen? Sie hören nicht nur unseren Funk ab. Den Feuerwehrfunk und den Polizeifunk hören sie genauso ab.»

Der Junior hat so getan, als würde er nicht bemerken, wie der Brenner sich ärgert. Aber ich muß ehrlich sagen, da wäre ich auch angebissen, wenn mir einer aufträgt, ich soll herausfinden, ob der Rettungsbund unseren Funk abhört, und er erzählt mir hinterher, daß sowieso die halbe Stadt mithört.

«Wenn jeder Presseheini unseren Funk abhören kann, dann wird es für den Rettungsbund auch nicht so schwer sein.»

Dieses Mal hat der Junior die Antwort nicht von der Decke heruntergelesen. Sondern daß man glauben hätte können, sie ist direkt auf die Pupillen vom Brenner geschrieben. Der Junior hat sich vorgebeugt und dann auf eine Art, wie man mit einem doofen Kind redet, gesagt: «Mit inoffiziellem Einverständnis ist das Funk-Abhören keine Kunst. Die Presse weiß unseren Verschlüsselungscode. Aber bevor ich dem Rettungsbund unseren Code verrate, lasse ich mir lieber bei lebendigem Leibe die Haut abziehen.»

«Wenn die Presseheinis den Code wissen, dann könnte ihn ja der Rettungsbund von denen haben. Das sind ja nicht gerade die verschwiegensten Menschen. Wenn einer es schon zu seinem Beruf macht, daß er jeden Käse in die Welt hinausplärrt.»

«Wir stehen mit einem Skandal in der Presse. Wir haben zwei unserer wertvollsten Mitarbeiter verloren. Und der Rettungsbund macht uns Feuer unter dem Hintern, daß es nur so raucht. Wenn es so weitergeht, sind wir in ein paar Monaten die Nummer zwei im Rettungswesen. Und das heißt, daß wir weniger Geld von Stadt und Land bekommen. Und das heißt, weniger Autos, weniger Fahrer. Das ist wie eine Kettenreaktion, und nach einem Jahr sind wir nur noch halb so groß wie der Rettungsbund. Und nach einem weiteren Jahr können wir zusperren. Und Sie können sich einen neuen Job suchen, Brenner. Also halten Sie mir keine Vorträge. Bringen Sie mir endlich den Beweis, daß der Rettungsbund unseren Funk abhört! Und alles, was Sie sonst über den Rettungsbund erfahren, bringen

Sie mir auch! Je mehr, um so besser! Wir müssen der Polizei den Beweis liefern, was für ein mieser Verein die Rettungsbündler sind, damit klar wird, wer hinter den Morden steckt. Und stellen Sie sich dabei nicht wieder so ungeschickt an, daß noch einer von meinen Männern mit dem Leben dafür bezahlen muß!»

«Das müssen Sie mir jetzt aber erklären.»

«Was glauben Sie, warum der Bimbo ausgerechnet an dem Tag umgebracht wird, wo Sie in der halben Stadt herumtelefonieren, wie man den Rettungsbundfunk abhören kann? Sehr diskret, muß ich schon sagen. Daß Sie das selber bewältigen, hätte ich wohl nicht annehmen dürfen?»

Siehst du: Gratis telefonieren ist die eine Seite. Zentrale Mithörmöglichkeit wieder eine andere.

«Sie glauben doch nicht im Ernst, daß der Bimbo umgebracht worden ist, weil ich –»

«Ich weiß nur, daß er umgebracht worden ist. Und zwar ein paar Stunden, nachdem Sie in der halben Stadt herumgefragt haben, wie man feststellen kann, daß der Rettungsbund unseren Funk abhört. Also tun Sie mir den Gefallen und gehen Sie in Zukunft mit ein bißchen Diskretion vor.»

Bei dem Wort «Diskretion» hat der Junior mit der Faust auf den Schreibtisch geknallt, nicht fest, weil gläserne Schreibtischplatte, aber trotzdem sehr unangenehm für die Ohren, wie das Armkettchen auf dem Glas aufgeschlagen ist.

Der Brenner ist aufgestanden, aber bevor er bei der Tür war, hat der Junior noch gesagt: «Und vergessen Sie die Angelika mit ihrem Problem. Der Lanz muß jetzt einmal bleiben, wo er ist. Bis die ganze Sache geklärt ist. Ich möchte nicht, daß noch wer stirbt. Sie haben mit Ihrem Übereifer schon genug angerichtet.»

Draußen am Gang ist dem Brenner eingefallen, wann zuletzt jemand so mit ihm geredet hat. Wer ihm zuletzt einen halbstündigen Vortrag gehalten hat und am Schluß noch die Frechheit gehabt hat zu sagen: Halten Sie mir keine Vorträge.

Er hat damals nach neunzehn Jahren bei der Polizei von einem Tag auf den anderen den Hut draufgehaut, weil er sich an diese Art von seinem neuen Chef einfach nicht gewöhnen hat können. Vor gut zwei Jahren ist das gewesen. Und jetzt wieder soweit. Auch die Art, wie ihm der Junior leichten Herzens die Schuld am Tod vom Bimbo zugeschoben hat. Genau wie damals der Nemec.

Jetzt wirst du sagen, man soll im Leben nicht immer zurückschauen. Nicht die ewig gleichen Geschichten, das bringt nichts. Aber ich kann nur sagen, wenn der Junior den Brenner in diesem Moment nicht so an den Nemec erinnert hätte, wäre die ganze Geschichte vielleicht anders ausgegangen. Vielleicht hätte er dann wirklich nur schnell das mit dem Funk erledigt, um endlich wieder seine Ruhe zu haben. Und vielleicht wüßten wir heute immer noch nicht, wie dem Bimbo das Gold in die Kehle gekommen ist.

Und noch ein Vielleicht:

Vielleicht, wenn der Brenner nach seinem Gespräch mit dem Junior nicht gleich für eine Ultrascheißhäusltour ins AKH eingeteilt worden wäre, wer weiß, womöglich hätte er dann die Sache nie gelöst.

Aber natürlich, wenn du schon im AKH bist, warum nicht ein bißchen bei der Imbiß-Rosi vorbeischauen.

«Spenderleber?» hat die Rosi gefragt.

«Da trau ich mir nicht widersprechen.»

«Das ist gescheit», hat die Rosi gegrinst. Sie ist nicht besonders groß gewesen, aber der zum Imbißstand umgebaute Wohnwagen war so nieder, daß sie immer ein bißchen gebückt stehen hat müssen. Und sie ist sehr dick gewesen. Und sie hat viele Senf- und Ketchupflecken auf ihrer weißen Chirurgenschürze gehabt. Und sie hat feuerrote, gewellte Haare gehabt, die immer so verschwitzt waren, daß sie ihr wie Hörner vom Kopf gestanden sind. «Scharfer Senf, weil süß bist du selber?»

«Bist du heute schon am Friedhof gewesen?»

«Wieso?»

«Oder wo hast du diesen alten Schmäh ausgegraben?»

«Nicht frech werden, Burli!» hat die Rosi gegrinst und ihm die Spenderleber vor die Nase geknallt.

«Burli? Du könntest meine Tochter sein.»

«Gegege. Da müßte ich aber viel für Schönheitsoperationen ausgegeben haben.»

Der Brenner ist froh gewesen, daß er sich kurz seinem Leberkäse zuwenden kann. Und erst nach ein paar Bissen hat er gesagt: «Jetzt sind es auch schon wieder zwei Wochen, seit du den Leo Stenzl erschossen hast.»

«Ja, paß gut auf, weil heute juckt es mich schon wieder im Finger.»

«Solange es nur der Finger ist.»

Jetzt wieder ein bißchen Leberkäse, und dann: «Dein Glück ist, daß du auf der Seite zum Musikpavillon kein Fenster hast. Sonst wärst du verdächtig.»

«Soweit kommt es noch, daß ich mir auf der Seite ein Fenster mache. Damit ich gar nicht mehr weiß, wo ich die Schokotafeln und die Mannerschnitten hinstellen soll.»

«Du hast also nichts gesehen?»

«Gesehen hab ich schon was. Ich hab gerade das Geld gezählt. Und das hab ich gesehen.»

«Wieso ist der Lanz eigentlich nicht auf das Zeitungsfoto gekommen? Nur der Bimbo und der Munz?»

«Der Lanz war ja gar nicht bei mir. Da hat sich der Bimbo beim Hereinfahren getäuscht. Der Lanz ist ja nur so schnell hereingefahren, weil er wirklich gerade vom Flughafen eine Spenderniere hereingebracht hat. Ich hab noch über ihn lachen müssen. Weil der ist in die Chirurgie hinauf wie der Blitz.»

«Wie der Blitz. Und dann hat es gedonnert.»

«Genau. Dann hat es gedonnert. Aber nicht beim Lanz, sondern beim Stenzl», hat die Rosi schon wieder lachen müssen.

«Was hat der Stenzl eigentlich so getan?»

«Nichts. Das war ein reiner Schreibtischhengst.»

Der Brenner hat nicht den Beruf vom Stenzl gemeint, weil das war so ziemlich das einzige, was er gewußt hat. Also hat er es anders probiert: «Mehr Hengst als Schreibtisch, oder?»

«Das kannst du laut sagen.»

«Aber niemand hat ihm einen Strick daraus gedreht?»

«Wieso einen Strick, wenn eine Kugel auch genügt?» hat die Rosi gegrinst. «Außerdem, wieso soll ich das wissen? Das müßtest du doch besser wissen.»

«Wieso ich?»

«Dein Verein lebt doch auch von den Blutspenden. Da mußt du doch den Stenzl gekannt haben.»

«Mein Verein?»

«Der ganze Rettungsbund.»

Das war der Lieblingswitz von der Rosi. Sie hat grundsätzlich zu den Kreuzrettern Rettungsbündler gesagt und zu den Rettungsbündlern Kreuzretter. Genauso, wie sie zu den Luisenschwestern immer Kreuzretterschwestern gesagt hat und umgekehrt.

Aber in diesem Fall hat es ausnahmsweise wirklich keinen Unterschied gemacht. Weil der Rettungsbund hat von den Blutspenden gelebt, und die Kreuzrettung hat von den Blutspenden gelebt. Und der Leo Stenzl auch. Nur daß der nicht mehr gelebt hat.

7

«Heute ist vielleicht ein Betrieb», hat die Rosi sich gewundert. «Die zwei von der Kripo sind auch schon wieder dagewesen.»

«Und? Welches Sakko hat dir besser gefallen?»

«Das vom Chef.»

«Wie hast du erkannt, wer der Chef ist?»

«Er hat nichts gegessen.»

«Cholesterinbewußt, die Führungsmenschen», hat der Brenner gesagt, bevor er sich das nächste Stück Leberkäse in den Mund geschoben hat.

«Der Sindelka ist da anders. Der war heute auch schon bei mir.»

«Der Sindelka von der Autopsie?»

«Nein, der Sindelka von den staatlich geprüften Jungfrauen.» Weil die Rosi ist ein Mensch gewesen, die hat einfach nicht normal ja sagen können. «Sonst kommt er immer erst am Nachmittag. Jeden Tag sein Spenderherz, und trotzdem so dünn wie ein Bleistift.»

«Vielleicht sportelt er viel.»

«Gegege. Dem sein einziger Sport ist das Leichenaufschneiden.»

«Davon wird's kommen.»

«Was?»

«Daß er nicht zunimmt. Vom Leichengift», hat der Brenner todernst behauptet.

«Gegege!»

Der Brenner hat mit seinem letzten Brotstück den Senf aufgetunkt, während die Rosi erzählt hat: «Den Stenzl und die Irmi hat er sogar auseinanderschneiden müssen.»

«Was heißt auseinanderschneiden?»

«Auseinanderschneiden eben», hat die Rosi erklärt. «Weil die Kugel ist zuerst durch seine Zunge und dann durch ihre Zunge. Und durch die Hitze von der Kugel sind die zwei Zungen zusammengeschmolzen.»

«Gegege!»

«Ja, wirklich!» hat die Rosi aufbegehrt. «Glaubst du, der Sindelka erzählt mir was Falsches?»

«Der hat vielleicht einen Job», ist dem Brenner auf einmal seine eigene berufliche Situation wieder ein bißchen in einem rosigeren Licht erschienen.

«Fürchterlich», hat die Rosi das Gesicht verzogen und eine Zehnerpackung Weißwürste aus der Folie geschnitten. «So eine Zunge ist ja etwas Grausiges. Hast du schon einmal eine Rindszunge gegessen?»

«Sicher.»

«Ich auch. Einmal und nie wieder! Da tun sie so ein Letscho hinauf, damit man die Zunge nicht genau sieht. Die Noppen und alles. Aber ich hab das Letscho vorher heruntergegessen.»

«Das ist ein Fehler.»

«Das kannst du laut sagen. Weil dann siehst du die Kuhzunge auf deinem Teller liegen. Genau die Form und die Noppen und alles.»

«Das ist nichts.»

«Und wenn du sie dann ißt, dann merkst du auf einmal, daß du eine Zunge auf der Zunge hast. Fürchterlich, sag ich dir. Du weißt nicht mehr, ob die Kuh deine Zunge lutscht oder du die Kuhzunge.»

«Jaja, so empfindlich darf der Sindelka nicht sein.»

«Der ist überhaupt nicht empfindlich. Dem taugt das.»

«Den Verdacht hab ich auch.»

«Weißt du, was er gesagt hat über die zusammengeschmolzenen Zungen vom Stenzl und von der Irmi?» hat die Rosi gegrinst.

«Was weiß ich.»

«‹Das war wenigstens einmal ein Bund fürs Leben.›»

«So gesehen hat er recht.»

«Es kommt noch soweit, daß die Nicole neidig wird.»

«Was für eine Nicole?»

«Die Sekretärin vom Stenzl in der Blutbank drüben. Die hat sich mit der Irmi einen Krieg um den Stenzl geliefert, das war nicht mehr feierlich.»

Gegege, hat sich der Brenner gedacht.

Und ist einfach einmal in die Blutbank hinüberspaziert.

Wie er dort hineingekommen ist, hat er zuerst geglaubt, er ist falsch. Obwohl er schon zigmal dagewesen ist, weil natürlich Blutkonserven in die Spitäler verteilen eine der Hauptscheißhäusltouren für einen Rettungsfahrer. Aber normalerweise ist er immer am Morgen dagewesen, und da hat es nur so gewimmelt vor Rettungsfahrern und Schwestern, die sich um die Blutkonserven angestellt haben. Und jetzt absolut ausgestorben.

Das Ausgabefenster für die Blutkonserven hat nicht viel anders ausgesehen als die Gepäckschalter bei den Bahnhöfen, wo sie immer die Sandler aus den Schließfächern geholt haben. Nur daß hier nicht ein Bahnbediensteter hinter dem Ausgabeschalter gesessen ist. Sondern eine junge Frau ist regungslos auf dem Boden gelegen. Und ob du es glaubst oder nicht, dem Brenner ist zuerst aufgefallen, wie hübsch sich die langen braunen Haare auf dem Parkettboden um ihren Kopf gelegt haben. Und erst in zweiter Linie, daß ihr der weiße Schwesternkittel bis zu den Hüften hinaufgerutscht ist.

Wobei ich mich frage, wieso im Krankenhaus immer alle Leute weiße Kittel anhaben. Sogar die Imbiß-Rosi immer einen weißen Kittel, voller Senf- und Ketchupflecken. Da kann man sagen, die braucht ihn wenigstens. Aber wofür braucht die Sekretärin in der Blutzentrale einen weißen Kittel? Das Blut ist ja vollkommen steril verpackt, da geht es ja nicht zu wie bei der Rosi. Aber vielleicht ist es einfach praktisch, daß man im Krankenhaus Personal und Kundschaft unterscheiden kann. Siehst du, das wird der Grund sein.

«Können Sie nicht klopfen?» hat die Tote den Brenner gefragt, aber immer noch, ohne daß sie irgendwas bewegt hätte, außer ihren Mund.

«Ich hab geklopft.»

Sie hat die Augen aufgemacht, und ich muß ehrlich sagen, ich habe noch nie einem Marsmenschen in die Augen geschaut, aber ungefähr so stelle ich es mir vor. Nicht, daß du glaubst grün, sondern braun. Aber von der Form her ganz unnatürliche schräge Marsaugen, sprich Hypnose.

«Wenn ich meine Übungen mache, bin ich manchmal so entspannt, daß ich das Klopfen nicht mehr höre.»

«Sagt man jetzt Übungen zum Büroschlaf?»

«Papperlapapp, Büroschlaf.» Mit dem Schwung, mit dem sie das gesagt hat, hat sie sich gleich auf die Seite gerollt. «Wissen Sie, was das Wichtigste ist? Man darf nie aus der Rückenlage aufstehen. Immer zuerst auf die Seite rollen.»

Sie ist dann so andächtig aufgestanden, daß man glauben hätte können, irgendeine religiöse Übung steckt dahinter. Buddhismus oder ding, wo sie keine Kühe essen dürfen, und früher haben wir sie dafür ausgelacht, aber heute Rinderwahn, lachen wieder sie uns aus. Dem Brenner ist vorgekommen, daß sogar ihre Haare nur im Zeitlupentempo über ihren Rücken gefallen sind. Und da muß ich schon sagen, vielleicht war auch das der Grund, daß sie einen weißen Kittel angehabt hat. Ihre braunen Haare haben dazu einen netten Kontrast gegeben, richtig lebendige Haare sind das gewesen, und vorher auf dem Parkettboden hat der Brenner noch geglaubt, Totenhaar.

Dann hat sie sich den Schwesternkittel endlich hinuntergezogen, hat sich auf ihren Drehstuhl gesetzt, und auf einmal hochoffizieller Augenaufschlag: «Womit kann ich dienen?»

«Ich bin heute für die Übungen bei Ihnen eingeteilt.»

«Sehr witzig.»

«Ja, ich hab immer diese schrecklichen Kopfschmerzen, wissen Sie. Migräne. Und der Arzt hat gesagt, das kommt alles von den Muskelverspannungen im Genick. Da helfen nur Übungen. Leider zahlt die Krankenkasse keine Übungen mehr. Aber man hat mir geraten: Gehen Sie doch in die Blutzentrale, da gibt es Übungen unter dem Tisch.»

«Sehr, sehr witzig.»

Du wirst sagen, ein bißchen aufdringlich, wie der Brenner da geredet hat, ein bißchen zu sehr, wie die Männer früher gewesen sind. Aber jetzt werde ich dir einmal was sagen. Es heißt: Durch das Reden kommen die Leute zusammen. Und ein paarmal «sehr witzig», und schon hat sich herausgestellt, daß die Sekretärin ihre Übungen wirklich gegen Kopfschmerzen gemacht hat. Und nachdem die beiden Sportsakkos sie heute schon wieder ausgequetscht haben, zum drittenmal in zwei Wochen, hat sie dringend ihre Übungen gebraucht.

Umgekehrt hat sie begriffen, daß der Brenner wirklich Kopfwehexperte Nummer eins war. «Aber weißt du, was der Vorteil am Kopfweh ist?»

Sie hat ihn mit ihren verwunderten braunen Augen so angeschaut, als wäre sie zum erstenmal im Leben geduzt worden. Aber gesagt hat sie nichts.

«Man weiß wenigstens, daß man noch einen Kopf hat.»

«Sehr witzig.»

«Weil wenn du wem eine Kugel in den Kopf schießt, der hat nicht einmal mehr Kopfweh.»

«Ich schieße aber niemandem eine Kugel in den Kopf.»

«Aber irgendwie muß ja die Kugel in den Kopf von deinem Chef gekommen sein.»

«Paß auf, was du sagst. Er war zwar ein schlechter Chef, ein fauler Hund, der mir die ganze Arbeit hingeschoben hat. Aber erschossen hätte ich ihn deshalb auch wieder nicht.»

«Nicht weil er ein schlechter Chef war, sondern weil er ein schlechter Liebhaber war, hast du ihn erschossen?»

Da muß ich aber den Brenner jetzt doch ein bißchen kritisieren. Vorher bei der Rosi, das ist vielleicht noch ein Spaß gewesen, wie er zu ihr gesagt hat, daß sie den Stenzl erschossen hat. Aber hier hat sich der Spaß aufgehört. Und da kann man die Augen von der Nicole auch nur teilweise als Entschuldigung gelten lassen. Ich kann mir diese Hauruckmethode überhaupt nur erklären, weil ihm der Junior derart Feuer unter dem Arsch gemacht hat. Und mit Feuer unter dem Arsch tendierst du leicht einmal zu einem gewissen Hauruck.

Wie er gesehen hat, daß die Nicole auf einmal ihre Augenlider auf Stufe drei schaltet und es so gerade noch schafft, den feuchten Film von ihren Augen zu wischen, ist es dem Brenner auch aufgefallen. Jetzt Trick: etwas Nettes sagen.

«Und? Bringen die Übungen was gegen das Kopfweh?» hat er sie angelächelt.

Zuerst etwas Nettes und dann etwas Interessantes: «Ich habe kein Kopfweh mehr, seit ich bei der Rettung arbeite.»

Die Nicole hat ihn ungläubig angeschaut: «Da kriegt doch ein normaler Mensch erst Kopfweh.»

Dann hat ihr der Brenner die Tablettenschachtel gezeigt, die ihm der Czerny verkauft hat. Weil der hat da in seiner geschäftstüchtigen Art ein bißchen einen Drogenhandel betrieben. Ich möchte jetzt nicht zuviel ausplaudern, nichts Tragisches, aber durch seine Kontakte zu Ärzten hat er sich ein kleines Probepackungsarsenal aufgebaut und im Bekanntenkreis verkauft. Ein kleiner Nebenverdienst, mehr ist das bestimmt nicht gewesen.

«Jeden Tag eine vor dem Frühstück. Und seither nie mehr einen Anfall gehabt.»

Erst jetzt sind die Tränen endgültig aus den Marsaugen verschwunden. Das hat der Brenner genau gesehen, so hat sie ihre Augen aufgerissen, wie er ihr die Packung gezeigt hat.

Dann ist sie aus dem Zimmer hinaus und nach ein paar Minuten mit einem riesigen roten Ordner wieder hereingekommen, und aus dem hat sie dem Brenner die Nebenwirkungen vorgelesen.

«Wie lange nimmst du die schon?»

«Drei, vier Monate.»

«Dann kannst du froh sein, wenn sie dich noch auf einer Sondermülldeponie nehmen», hat sie aufgejault. «An deiner Stelle würde ich mich gleich auf die Intensiv legen. Gib sofort her, das Gift!» Sie hat ihm dabei ihre Augen so hingehalten, als wäre das der Einwurf vom Altmedikamentencontainer.

Der Brenner hat ihr die Tabletten widerspruchslos ausgehändigt, weil er hat ja daheim noch eine Hunderterpackung gehabt. Nicht hundert Tabletten, hundert Packungen.

«Ich verstehe nicht, daß die Rettungsfahrer alle so suchtgefährdet sind», hat die Nicole den Kopf geschüttelt. «Dieses Gift hast du bestimmt vom Czerny.»

«Das weißt du bestimmt vom Stenzl», hat der Brenner ihren Tussi-Tonfall nachgemacht.

«Papperlapapp! Das weiß doch jeder mit dem Czerny-Tablettenservice. Der geldgierige Hund. Den würde ich einmal unter die Lupe nehmen, wenn ich Polizei wäre. Weil der ist skrupellos. Und außerdem ist er der einzige, der davon profitiert, daß der Stenzl tot ist.»

«Weil er den Posten vom Stenzl übernimmt und so vom Kleinhändler zum Großhändler aufsteigt?»

«Papperlapapp! Über den Leo kann man viel Schlechtes sagen. Aber mit dem Tablettengeschäft hat er nie was zu tun gehabt.»

«Aber mit dem Czerny schon?»

«Der Czerny redet doch jedem irgendein Geschäft ein. Wo dann immer nur er profitiert. Der hat ja mit jedem zweiten Krankenhausangestellten einen Lebensversicherungsvertrag auf Gegenseitigkeit laufen. Aber natürlich stirbt nicht der Czerny, natürlich sterben die anderen.»

«Mit dem Stenzl hat er auch so einen Vertrag gehabt?»

«Sag ich doch.»

«Aber wie kann er sich das leisten? Die Versicherungen kosten ja was.»

«Was heißt leisten. Er keilt ja die Verträge für die Versicherung. Da hat er mit der Provision schon die Hälfte von seinem eigenen Beitrag wieder herinnen. Angeblich hat er über hundert Verträge laufen. Jeder mindestens über eine Million.»

«Und statistisch gesehen stirbt von hundert Leuten jedes Jahr mindestens einer», hat der Brenner gerechnet.

«Mit Statistik darfst du mir nicht kommen.»

«Sonst würden ja die Leute über hundert Jahre alt.»

«Ja, so gesehen.»

«Aber man muß natürlich die Alterspyramide berücksichtigen. Das ist eine Tüftelei, ob sich das ausgeht mit dem Prämienzahlen und mit der Sterblichkeit. Die Versicherungen sind ja auch nicht blöd.»

«Die Versicherungen nicht. Aber die Leute sind blöd. Der Czerny hat sich das mit der Versicherung schon ausgepackelt.»

«Und du meinst, daß sich das ausgeht?»

«Wenn es sich einmal in einem Jahr nicht ausgeht und niemand stirbt, muß man eben nachhelfen», hat die Nicole gesagt. Auf einmal hat sie gelacht: «Du wirst doch meinen Blödsinn hoffentlich nicht ernst nehmen!»

«Dafür, daß sie dir vor ein paar Wochen den Liebhaber erschossen haben, bist du aber ganz schön fröhlich.»

«Wer sagt das?»

«Ich hab das gesagt. Oder siehst du hier noch wen?»

«Wer das mit dem Liebhaber sagt!»

«Alle.»

Der Brenner ist vorsichtshalber einen Schritt zurückgetreten. Aber die Nicole hat gar nicht versucht, ihm ins Gesicht zu springen. Sie hat nur mit eisiger Marsmiene gefragt: «Was sagen alle?»

«Daß du einen Krieg mit der Irmi gehabt hast.»

«Das stimmt sogar. Aber das heißt noch lange nicht, daß ich mich für den Stenzl interessiert habe. Ich habe die Irmi weg haben wollen, weil sie immer hier herumgeschnüffelt hat. Mit der war irgendwas.»

«Und mit dir war nichts? Und mit dem Stenzl?»

«Nein, danke.»

Wie soll man bei solchen Augen erkennen, ob jemand die Wahrheit sagt oder nicht? Jetzt hat der Brenner einfach gesagt: «Wenn du ihn nicht erschossen hast, muß es doch der Czerny gewesen sein.»

«Sehr witzig. Der Czerny ist mir zwar unsympathisch mit seiner Geschäftemacherei. Aber das mit den Versicherungen ist auch nichts anderes als ein Roulettespiel. Er setzt sein Geld auf verschiedene Menschen und hofft, daß einer von ihnen schon rechtzeitig sterben wird.»

«Hoffentlich kein russisches Roulette.»

«Das ist nicht viel anders als ihr anderen Fahrer, die ihr euer Geld verpokert. Euer Verein spielt im Kellerstüberl», hat die Nicole wieder ganz die resolute Krankenschwester gespielt, «und die Rettungsbündler spielen im *Golden Heart*. Es ist überall das gleiche. Mich überrascht das mit dem Lanz und dem Bimbo überhaupt nicht.»

«Woher weißt du das schon wieder?»

«Was glaubst du, warum die Kripo heute noch einmal bei mir war?»

«Vielleicht gefällst du ihnen.»

«Habe ich da ein *Vielleicht* gehört?»

«Und dich hat es nicht einmal überrascht?»

«Daß ich der Kripo gefalle?»

«Daß der Lanz den Bimbo umgebracht hat.»

«Wirklich nicht. Bei den Spielschulden, die der Lanz beim Bimbo gehabt hat.»

«Was du schon wieder alles weißt.»

Sie hat ihn so strafend angeschaut, daß sie ein paar Sekunden den Kopf vollkommen still gehalten hat. Jetzt ist dem Brenner ihr ganz leichter Hansi-Munz-Bart aufgefallen. Aber ob du es glaubst oder nicht, das hat sie nur noch schöner gemacht.

«Das weiß doch jeder mit euren Spielschulden. Aber die Rettungsbündler sind um nichts besser. Um welche Summe die im *Golden Heart* spielen, das glaubst du nicht.»

«Gehst du ins *Golden Heart*?» hat der Brenner sie gefragt.

«Früher.»

«Wieso nur früher?»

«Bevor der Stenzl mein Chef geworden ist. Dem hat ja der Laden gehört. Zumindest die Hälfte.»

«Und wem gehört die andere Hälfte?»

«Was weiß ich. Seinem Bruder, glaub ich. Aber wie dann vor einem halben Jahr der Stenzl mein Chef geworden ist, wäre es mir komisch vorgekommen, wenn ich am Abend auch noch da hingehe. Noch dazu, wo er mit seinem Bruder zerstritten war.»

«Hast du das der Kripo auch erzählt?»

«Glaubst du, ich geh mit so einem Sportsakko-Zwilling ins *Golden Heart*?»

Der Brenner hat sich überlegt, ob das eine Einladung war. Aber vorsichtshalber hat er schnell noch was anderes gesagt: «Sakko-Zwilling ist gut. Und doch erkennt man sofort, wer der Chef ist.»

«Sicher. Am Schweißgeruch.»

Die Frauen immer mit ihrem Geruchssinn, hat der Brenner

sich noch überlegt, aber nicht näher nachgefragt. Er hat ja noch auf die Einladung zurückkommen müssen. «Jetzt kannst du also wieder ins *Golden Heart* gehen?»

«Jetzt könnte ich eigentlich wieder hingehen.»

«Heute um zehn?»

«Da bist du aber der erste von eurem Verein, der sich da hineintraut. Ins Feindesland.»

«Mit dir fürchte ich mich nicht.»

«Papperlapapp!»

«Also um zehn?»

«Aber nur, wenn du auch die Tabletten abgibst, die du noch daheim hast.»

Jetzt hat der Brenner ein bißchen dumm geschaut, daß ihn die Nicole mit ihren Röntgenaugen so durchschaut hat.

«Ich kenne meine Pappenheimer», hat sie ihn angelächelt.

Und dieses Lächeln hat den Brenner bis zehn Uhr weit mehr beschäftigt als die Frage, wer den Bimbo und den Stenzl umgebracht haben könnte.

Am Tag darauf hat der Brenner dann aber nicht gewußt, ob er so Schädelweh hat, weil er seine Tabletten abgesetzt hat, oder ob es einfach nur gewesen ist, weil er bis vier Uhr früh mit der Nicole im *Golden Heart* gezecht hat.

Oder ob es ihm so zu denken gegeben hat, daß die Kellnerin im *Golden Heart* ausgerechnet die Angelika Lanz gewesen ist.

8

Sein Kopf hat sich so angefühlt, als wäre ihm über Nacht ein brummender Ableger gewachsen.

Wie er im Spiegel sein blutunterlaufenes Aug gesehen hat, ist es ihm dann langsam wieder eingefallen. Praktisch bruchstückhafte Annäherung, wie er die bruchstückhafte Haut auf seiner Wange betastet hat.

Der Brenner hat zwar immer dieses rote, pockennarbige Gesicht gehabt. Und immer die zentimetertiefen, senkrechten Wangenfalten, als hätte er zwei Rasierklingen versteckt. Aber heute die ganze linke Gesichtshälfte abgeblättert wie bei einer schlechtlackierten Schaufensterpuppe. Und das linke Ohr komplett taub.

Natürlich könnte man auch sagen, die Ohrfeige um vier Uhr früh muß noch lange nicht Grund für die Migräne sein. Da ist ja so ein Migräneschädel unberechenbar. Oft einmal ein Anfall ohne den geringsten Grund. Und ein anderes Mal kriegst du einen Tritt, und du fühlst dich herrlich, wie ein alter Fernseher, der hin und wieder einen Tritt braucht.

Aber dem Brenner hat der Kopf viel zu weh getan, um auch noch über diese genaueren Zusammenhänge nachzudenken. Er ist vor dem Spiegel gestanden und hat sich gedacht: Unglaublich, daß die Nicole so eine Betonwatschn austeilen kann.

Aber wie er sich das Gesicht gewaschen hat und wie er das abgewaschene Blut ins Waschbecken rinnen gesehen hat, ist es ihm noch ein bißchen genauer eingefallen. Und beim Abtrocknen hat er schon wieder gewußt, daß es nicht die Nicole war, die ihm so eine Gewaltige betoniert hat.

Und beim Anziehen hat er sich schon wieder genau erinnert,

wie er um vier Uhr früh mit der Nicole das *Golden Heart* verlassen hat. Und wie sie nicht weit gekommen sind. Nicht, weil sie so einen Rausch gehabt haben. Sondern weil aus einem Lastwagen zwei Männer ausgestiegen sind und zur Nicole gesagt haben, sie soll sich schleichen.

Er hat sich jetzt schon wieder erinnert, wie der eine ihn gefragt hat, ob er der Brenner ist, er aber gar nicht zum Nicken gekommen ist, weil ihm der zweite inzwischen schon eine derartige aufgelegt hat, daß der Brenner statt mit dem Kopf mit dem ganzen Körper genickt hat.

Beim Anblick der zerfetzten Uniform ist ihm jetzt wieder eingefallen, wie die beiden mit ihm den Gehsteig vor dem *Golden Heart* aufgewischt haben. Vielleicht hätte ich doch nicht mit der Uniform in das Rettungsbundlokal gehen sollen, hat sich der Brenner überlegt. Und gleich hat ihn sein Kopf gestraft. Weil Gedanken immer schlecht bei Kopfweh.

Aber Nicht-Denken noch schlimmer, weil dann hast du nur mehr das Kopfweh pur im Schädel. Jetzt hat der Brenner gedacht: Ich könnte mich ja krank melden. Aber gleich wieder nächster Gedanke: In letzter Sekunde krank melden ist bei den Kollegen auch nicht unbedingt hoch angeschrieben, daß einer gesagt hätte: Hier hast du den Fairness-Pokal, weil wir dir so dankbar sind, daß du dich in letzter Sekunde krank gemeldet hast.

Das ist ja nicht wie in einem Büro, daß dann die Arbeit einen Tag auf dich wartet: Die Unfallopfer, die Herzanfälle wollen ja unbedingt noch am selben Tag eingeliefert werden, und sogar die Selbstmörder werden ganz zappelig, wenn du sie nicht sofort herunterschneidest. Sei mir nicht böse, aber so haben die Rettungsmänner untereinander gesprochen, es ist nicht bösartig gemeint gewesen, sondern mehr so ein Schutzding.

Jetzt. Diese zwei Möglichkeiten hat der Brenner gehabt. Entweder ich melde mich krank. Oder ich melde mich nicht krank.

Und wenn du heute zwei Möglichkeiten hast im Kopfwehzustand, ist es das schlimmste. Jetzt ist der Brenner einfach hinuntergestolpert, damit wenigstens die Möglichkeiten aufhören.

Obwohl er unmöglich fahren hat können. Weil er ja halb blind gewesen ist vor Schädelweh. Das kannst du nicht wissen, wenn du nicht zu den Migränefachleuten gehörst. Es gibt Leute, die glauben, sie haben Migräne, nur weil sie ein bißchen die Schläfe sticht. Aber das müssen dieselben sein, die das Zehennägelschneiden mit Fußamputieren verwechseln.

Im Bereitschaftsraum hat der Brenner sofort gesehen, daß ein neuer Dienstplan aushängt. Jetzt natürlich Hoffnung, daß er womöglich heute frei hat.

Aber ganz im Gegenteil. Er ist für heute eingeteilt gewesen, er ist für morgen eingeteilt gewesen, und er hat auf dem neuen Monatsplan gesehen, daß ihn der fette Buttinger für dreieinhalb Wochen durchgehend eingeteilt hat. Dreieinhalb Wochen ohne einen freien Tag, täglich zwölf Stunden.

Und wie er das gesehen hat und wie er rundherum die höhnischen Grinser von seinen Kollegen bemerkt hat, ist es ihm wieder eingefallen. Alles. Alles wieder eingefallen. Und siehst du, da könnte man bestimmt auch migränemäßig gewisse Theorien aufstellen, sprich: Psychologie. Daß der Brenner-Schädel vielleicht nur die Migräne ausgebrütet hat, damit er sich nicht erinnern muß.

Aber beim Anblick von dem Strafdienstplan und den höhnischen Grinsern rundherum hat die ganze Migräne nichts genützt, und da hat er sich jetzt doch noch erinnern müssen: Wie er gestern in seinem Dusel eine derartige Betonwatschn eingefangen hat, daß er auf dem Gehsteig liegengeblieben ist. Und wie dann jemand die Rettung gerufen haben muß.

Weil warum sonst wäre dann ein paar Minuten später zum erstenmal seit der Schlacht von Solferino ein Rettungsbundauto in den Kreuzrettungshof hineingefahren? Wo um vier Uhr früh sofort alle Freiwilligen erschrocken in den Hof hinausgestürmt sind. Weil die triumphierenden Rettungsbündler gerade den benommenen Kreuzretter in seiner zerfetzten Uniform ausgeladen haben.

Jetzt ist es dem Brenner wieder eingefallen. Und zum erstenmal in seinem Leben ist er froh um die Migräne gewesen, weil sie doch einen gewissen Schleier über das Leben zieht.

In diesem Zustand ist dir ja alles andere mehr oder weniger egal. Es ist dir nicht egal, wenn jemand neben dir pfeift, oder wenn jemand neben dir mit seiner unangenehmen Stimme redet, oder wenn jemand in deiner Nähe atmet, oder wenn jemand so mit den Augenlidern klimpert, daß es dir fast das Trommelfell zerreißt. Aber es ist dir ziemlich egal, ob du dich zu Tode blamiert hast oder ob du strafweise zu dreieinhalb Wochen durchgehend Dienst eingeteilt worden bist.

Zwei Minuten später ist der Brenner schon im Laufschritt in Richtung Auto unterwegs gewesen. Ein Herzinfarkt. Mit Sirene und Blaulicht zufahren. Kaum daß der Brenner außer Hörweite von der Zentrale war, hat er die Sirene abgeschaltet. Aber seine beiden Köpfe haben an dem Tatütata so eine Freude gehabt, daß sie es ihm einfach weiter vorgesummt haben.

Sein einziges Glück war, daß heute der stille Achttausender sein Beifahrer war. Weil mit dem Geplapper eines Czerny oder eines Hansi Munz hätte er den Tag bestimmt nicht überlebt.

Und der Patient, der ihnen diese Fahrt in den neunten Bezirk eingebrockt hat, hat auch nichts geredet. Der hat in der Porzellangasse ein hübsches Antiquitätengeschäft gehabt. Aber heute selber Alterungsspuren. Weil er ist am hellichten Tag mitten in seinem eigenen Antiquitätengeschäft umgefallen.

Er ist kreidebleich auf dem grauen Plastikboden gelegen und hat den Brenner stumm und voll Todesangst angestarrt. Und unglaubliches Glück für den Brenner: Die junge Verkäuferin hat vor Schreck auch kein Wort herausgebracht. Aber immerhin hat sie schon einen Zettel an die Tür gehängt: «Wegen Krankheit vorübergehend geschlossen.»

Und siehst du, kaum daß man nicht aufpaßt, verschwenden die Angestellten schon Papier! Weil wenn sie noch zehn Minuten gewartet hätte, hätte sie gleich schreiben können: «Wegen Todesfall geschlossen.»

Der Brenner und der stille Achttausender haben zwar noch versucht, ihn wiederzubeleben. Aber aussichtslos. Nicht, daß du jetzt glaubst, das war dem Brenner seine Schuld. Die Herzmassage ist zwar verdammt anstrengend, auch wenn du fit bist. Da rinnt dir der Schweiß in Bächen herunter, wenn du das minutenlang machst. Aber ausgerechnet heute hat es dem Brenner sogar gutgetan.

Weil da mußt du dich so mit durchgestreckten Armen über den Sterbenden knien, und dann die rhythmischen Bewegungen. Das ist heute für den Brenner in gewissem Sinn sogar eine umgekehrte Massage gewesen. Daß praktisch der Brustkorb des Sterbenden die Brenner-Arme so schön rhythmisch zurückgedrückt hat, daß es sich massageartig auf seine versteinerten Nackenmuskeln übertragen hat. Also nicht, daß du jetzt glaubst, davon wäre sein Kopfweh weggegangen, aber momentan eine gewisse Linderung. Vielleicht ein bißchen wie die Übungen von der Nicole.

Daß der Mann dann gestorben ist, hat so richtig zu diesem Tag gepaßt. Weil so oft stirbt dir auch als Rettungsfahrer nicht jemand. Da überwiegen doch die Fahrten, wo nichts Dramatisches passiert. Einen Beinbruch in die Unfallstation. Ein scharlachkrankes Kind in die Isolierstation. Einen Parkinson zur Physiotherapie. Einen Krebs zur Bestrahlung.

Ich will nicht zuviel aufzählen, ich weiß nicht, ob du das kennst, aber wenn ich zuviel von Krankheiten rede, dann spüre ich es schon regelrecht, wie mich die Organe jucken. Aber der Brenner hat sich in diesen Wochen, wo ihm der fette Buttinger einen Strafplan ohne freien Tag verpaßt hat, natürlich ziemlich viel anschauen müssen.

Am zweiten Tag war er mit dem Werkstättenchef unterwegs. Der hat provisorisch für den Lanz einspringen müssen, obwohl er selber in der Werkstatt genug zu tun gehabt hätte.

«Wenn ich das Loch bei den Fahrern stopfe, haben wir dafür zu wenige Autos», hat er gemurrt. «Wir sind einfach viel zu wenige Leute.» Weil der 590er mit dem kaputten Auspuff, wo vor ein paar Wochen fast ein Patient erstickt wäre, immer noch nicht repariert.

Am Tag darauf, wie sein blaues Aug langsam grün geworden ist, war der Brenner mit dem Hansi Munz zusammengespannt, und wie sie zu einem Selbstmord gerufen worden sind, hat der Hansi Munz den Erhängten heruntergeschnitten und neben den Hinterbliebenen zum Brenner gesagt: «Hanf-Allergie.»

Überhaupt ist dem Brenner vorgekommen, daß der Hansi Munz dem Bimbo jeden Tag ähnlicher wird, als wäre der Geist vom Bimbo in den Hansi Munz – quasi Spenderseele.

Am nächsten Tag war der Brenner wieder mit einem Achttausender unterwegs, dann zwei Tage mit dem Czerny, dann wieder mit dem Hansi Munz, und an dem Tag, wo er bemerkt hat, daß sein grünes Aug langsam gelb wird, mit dem Nechvatal, der die ganze Zeit nur Zillertaler-Schürzenjäger-Kassetten gehört hat. Dann zwei Tage mit einem Achttausender, und dann haben seine Tage und seine Kollegen und sein Bluterguß langsam zu verschwimmen angefangen.

Und das ist ein eigenartiger Effekt bei den meisten Menschen, da ist der Brenner keine Ausnahme gewesen. Du fürchtest nichts mehr, als daß dein Leben nur noch aus Arbeit besteht, daß du nur noch wie ein Hamster im Rad dahinläufst. Aber wenn du dann wirklich einmal so eingeteilt wirst und wenn du keine Chance hast, daß du aus dem Rad herauskommst, muß sich irgendwas im Hirn umstellen. Das muß so ähnlich sein wie bei den Marathonläufern, die diese gewisse Substanz absondern, daß ihnen das Laufen auf einmal ganz leichtfällt.

Irgendwie hat es der Brenner genossen, daß er vor Arbeit gar nicht mehr zum Denken gekommen ist. So wie es ja auch die Marathonläufer oder, sagen wir, die Manager genießen, daß sie nicht zum Denken kommen, sondern immer nur fest die Substanz absondern.

Der Brenner ist gefahren und gefahren und gefahren. Jeden Tag zweihundert bis dreihundert Kilometer im Stadtverkehr. Und wenn eine Tour im Durchschnitt sieben oder acht Kilometer hat, dann sind das, warte einmal, oder sagen wir der Einfachheit lieber, sie hat zehn Kilometer. Dann sind das zwanzig bis dreißig Touren an einem Tag! Zwanzig- bis dreißigmal am Tag einen Kranken auf die Bahre legen, ihm gut zureden, ihn ein bißchen von seinem Leiden ablenken.

Weil bei zwanzig bis dreißig Touren ist ja höchstens jede zehnte eine einsatzmäßige Tour. Höchstens zwei-, dreimal, daß man sagen muß: Wenn ich jetzt gegen die Vorschrift bei Rot über die Kreuzung fahre, dann überlebt der Verletzte vielleicht und dann haben die drei Kinder weiterhin einen Vater, und sie dürfen in die Schule gehen und studieren, und der Bub wird Sportlehrer und das Mädchen Steuerberaterin, und die Jüngste ganz gewaltig intelligent, Matura mit Auszeichnung, Studium in Rekordzeit und dann Chefärztin in Mexiko.

Aber nur, wenn ich bei Rot hinüberpresse. Nur wenn ich fast den Fußgänger da streife. Aber wenn ich warte, bis das letzte bißchen Rot aus der Ampel hinausgeronnen ist, dann verblutet er mir womöglich und dann natürlich finanzielle Probleme für die Familie. Und dann natürlich nichts Studium. Und natürlich nichts Chefärztin in Mexiko, sondern Chefkellnerin am Mexikoplatz.

Aber solche Entscheidungen Ausnahme. Und sonst: ein bißchen kümmern, ein bißchen gut zureden. Und meistens nicht einmal das. Meistens einfach den alten Leuten zuhören. Zumindest tun, als würde man ihnen zuhören. Weil sie wollen gar nicht, daß sie jemand tröstet. Sie wollen nur zum hunderttausendstenmal dieselbe alte Leier herunterbeten.

Und so gesehen ist Rettungsfahrer schon ein interessanter Beruf, weil du lernst etwas über den Menschen. Du hörst dir die Leier von den alten Leuten an, und sie erzählen dir hundertmal jedes Detail ihrer höchstpersönlichen Kränkung. Als wäre das Leben dazu da, daß es sich für jeden eine eigene Kränkung ausdenkt. Weil sie wissen nicht, was du als Rettungsfahrer schon nach ein paar Wochen weißt: daß es bei jedem haargenau dieselbe Leier ist.

Aber die Leier von den Patienten hältst du noch leicht aus gegen die Leier von den eigenen Kollegen. Weil Kollegenleier immer unerträglich. Sprich Bausparvertrag. Sprich Nachhilfestunden für das dumme Kind. Sprich eheliche Angelegenheiten.

Oft hat es der Brenner gar nicht fassen können. Bis in die letzte Einzelheit wird dir haarklein die eheliche Intimdings aufgetischt. Es hat ihn aber jeden Tag weniger gestört. Besonders so ab dem elften, zwölften Tag hat er es gar nicht mehr richtig registriert. Da hat die Marathonsubstanz die Kollegenleier schon vollkommen neutralisiert.

Aber zuviel Substanz kann auch gefährlich werden. Weil der Brenner ist ein bißchen kindisch geworden und hat angefangen, die Stimmen, die den ganzen Tag aus dem Funk gekommen sind, nachzumachen. Besonders die quäkende Stimme vom Hansi Munz hat er jeden Tag besser gekonnt. Und es hat Momente gegeben, da hat er schon mit den Patienten Hansi-Munz-mäßig gequengelt. Aber vor allem gefährlich, wie er am Anfang der dritten Woche fast überhört hat, wer ihn vor dem *Golden Heart* so zugerichtet hat.

«Letzte Woche war ich auf Urlaub», hat ihm der kleine Berti erzählt.

Um Gottes willen. Fest Substanz absondern. Die Leute immer mit ihrem Urlaub. Da kann man dem Brenner wirklich keine Vorwürfe machen.

«Du weißt ja, daß mir das mit dem Detektivbüro nicht aus dem Kopf geht.»

Um Gottes willen. Der kleine Berti immer mit seinem Detektivbüro. Aber andererseits ist er wirklich noch der Netteste gewesen. Jetzt hat der Brenner es mit der Substanz geschafft, nicht hinzuhören, aber sich trotzdem ein bißchen mit dem kleinen Berti zu unterhalten: «Hast du am Strand dein Detektivbüro geplant?»

«Neinnein, ich bin nicht weg gewesen.»

«Hast eh recht.»

«Die Reiserei bringt nichts.»

«Genau.»

«Heute reist ja sogar schon der Müll.»

«Genau.»

«Ich sage immer, heute reist nur mehr der Müll», hat der Berti gelacht.

«Nur mehr der Müll, das ist gut.»

«Noch dazu in unserem Beruf. Wo man eh jeden Tag dreihundert Kilometer fährt.»

Genau, Berti, hat sich der Brenner gedacht und ist mit den Gedanken schon wieder ganz woanders gewesen, quasi Gedankenreise. Und da muß ich schon sagen: Heute wird das Reisen oft kritisch betrachtet, weil man sagt Massentourismus und alles, und die Leute fahren durch die Welt und werden trotzdem immer engstirniger. Aber das Gedankenreisen sollte man auch einmal kritisch betrachten. Weil während du auf Gedankenreise bist, erzählt dir daheim vielleicht gerade einer, wie du vor drei Wochen zu einer Betonwatschn gekommen bist.

Aber interessante Parallele! So wie durch das echte Reisen die verschiedenen Länder und Menschen sich immer ähnlicher werden, gibt es gewisse Entwicklungen, wodurch du auch beim Gedankenreisen im entferntesten Reiseziel erst recht wieder lauter Landsleute und alte Bekannte triffst. Man sagt zwar oft, die Welt ist ein Dorf. Aber die Gedankenwelt ist auch ein Dorf!

Und wie ihm der Berti erzählt hat: «Ich bin jetzt bald drei Jahre dabei, zuerst Achttausender und jetzt angestellt. Aber du weißt ja, daß mich ein Detektivbüro reizen würde», ist der Brenner in Gedanken schon bei der alten Frau Rupprechter gewesen, der Diabetikerin, zu der sie gerade unterwegs waren, um sie im AKH abzuholen.

Die alte Frau war derart zuckerkrank, daß ihre Wangen so durchsichtig gewesen sind wie dieses dünne Papier, auf das sie die Bibeln drucken. Und Alter natürlich auch biblisch. Und biblischer Zorn auch, weil das war eine Schreckschraube, wie sie im Buche steht.

Jeden Tag ist sie ins Krankenhaus geliefert und wieder abgeholt worden. Bankierswitwe, die hat eine Versicherung gehabt, frage nicht. Und noch dazu hat sie schon zwei Notarztwagen gespendet. Und wenn die Frau Rupprechter verlangt hätte, daß man ihre Döblinger Villa Tag für Tag auf einem Anhänger mit dem Rettungsauto mitschleppt, dann hätten sie es auch tun müssen.

Der Brenner hat sie dann auf der Inneren Medizin abgeholt, während der Berti im Auto gewartet hat. Aber interessant: In der Realität war sie noch ein paar Jahre älter als auf der Gedankenreise. Und ihre Wangenhaut noch ein bißchen dünner. Und ihr Zorn noch ein bißchen biblischer.

«Das nächste Mal können Sie mich gleich hier übernachten lassen!» hat sie den Brenner angeschnauzt und mit ihrem Stock auf den Steinboden geschlagen. Obwohl der Brenner sowieso wie üblich bei der Rupprechterin fünf Minuten zu früh gekommen ist.

Das hat ihm aber nichts ausgemacht, weil Marathonsubstanz. Und wie sie dann mit ihrer ewigen Leier vom schlechten Pflegepersonal angefangen hat, hat der Brenner einfach wieder eine Gedankenreise zum Berti gemacht und hat sich jetzt angehört, was ihm der Berti vor ein paar Minuten erzählt hat, praktisch geistiger Videorecorder:

«Wir haben am Anfang von der Aktion 8000 einen gemeinsamen Grundlehrgang gehabt. Da sind wir damals achtunddreißig Leute gewesen. Ein paar sind dann zur Feuerwehr gekommen, ein paar in ein Altersheim, ein paar in die Landesregierung, im Grunde wie beim Zivildienst, nur eben freiwillig und ein bißchen besser bezahlt. Einer, mit dem ich mich gut verstanden habe, ist beim Rettungsbund gelandet. Jetzt habe ich ihn letzte Woche angerufen, ob es ihn nicht reizen würde: mit mir ein Detektivbüro aufmachen.»

Den Brenner hat ein fürchterliches Maschinengewehrrattern aus seinen Gedanken gerissen. Das war der Krückstock von der Frau Rupprechter, mit dem sie nervös wie die reinste Nähmaschine auf den Steinboden geklopft hat.

Weil sie hat genau gemerkt, daß der Brenner nicht bei der Sache war. Sie hat ihm immer noch vom unverläßlichen Pflegepersonal vorgejammert. Und daß man über die Toten eigentlich nicht schlecht reden soll, hat die Frau Rupprechter auch nicht gekümmert. Weil die ist sogar über die Irmi hergezogen, die jahrelang ihre Hauskrankenpflegerin war. Man hätte glauben können, sie ist der Irmi einfach böse dafür, daß sie sich erschießen hat lassen. Praktisch Zumutung, daß sich die neunzigjährige Frau Rupprechter an eine neue Pflegerin gewöhnen muß.

«Eine neugierige Person», hat die Frau Rupprechter gekrächzt.

«Ja, Frau Rupprechter.»

«Überall ihre Nase hineingesteckt!»

«Ja, Frau Rupprechter.»

«Dieses neugierige Mensch!»

«Ja, Frau Rupprechter.»

Du merkst es schon an den eintönigen Antworten, daß der Brenner wieder ein bißchen auf einer Gedankenreise war. Der Berti mit seinem Detektivbüro war im Moment immer noch besser als die Rupprechterin.

«Mein Freund beim Rettungsbund hat gesagt: Detektivbüro aufmachen interessiert ihn nicht, aber helfen tut er mir gern. Jetzt hab ich mir letzte Woche freigenommen. Praktisch als Test, ob ich detektivisch was los habe. Ob ich in einer Woche herausfinde, wer dich vor dem *Golden Heart* zusammengeschlagen hat.»

Möchte man meinen, so interessant ist die Frau Rupprechter mit ihren ewigen Geschichten auch wieder nicht, daß der Brenner dauernd vom kleinen Berti zu ihr abgeschweift ist.

Aber das ist eben die alte Sache mit dem Reisen. Das Entfernte kommt einem immer interessanter vor, auch wenn es aus der Nähe betrachtet völlig uninteressant ist. Obwohl ich schon sagen muß, uninteressant ist so ein Verfolgungswahn eigentlich nicht, nur fürchterlich nervend, aber das ist ja was anderes.

Und du darfst eines nicht vergessen. Wenn du heute schwer zuckerkrank bist, dann bist du auch automatisch halb blind. Das ist die Rindenblindheit, die kommt vom Zucker, frag mich nicht wieso, ich bin kein Augenarzt.

«Sie hat geglaubt, ich sehe nicht, daß sie dauernd in meinen Papieren kramt», hat die Frau Rupprechter ihrer jahrelangen Hauskrankenpflegerin ins Grab nachgeschimpft.

«Hat sie nicht Ihre Schreibarbeiten erledigen müssen?» hat der Brenner ein bißchen den Interessierten gespielt, weil die Frau Rupprechter immer großzügig mit dem Trinkgeld.

«Natürlich!» hat die Rupprechterin den Brenner angeschnauzt. Weil nach der Behandlung ist die Rupprechterin immer noch ein bißchen unduldsamer gewesen als sonst, praktisch Kehrseite der Trinkgeldmedaille.

Der Brenner war aber nicht lange gekränkt, weil er ist ja mit dem Kopf immer noch beim Berti gewesen.

«Mein Freund hat sich beim Rettungsbund ein bißchen umgehört. Dort ist es ein offenes Geheimnis, daß dir zwei Lastwagenfahrer von der Firma Watzek-Beton eine aufgelegt haben.»

«Watzek-Beton ist doch diese Sponsor-Aufschrift auf jedem zweiten Rettungsbundauto.»

Leider. Diese Antwort ist dem Brenner erst jetzt eingefallen, wie er endlich mit der Frau Rupprechter, die ihre Füße nur mehr zentimeterweise vorwärtsschieben hat können, beim Auto angekommen ist. Und siehst du, darum sage ich immer, man soll Antworten nach Möglichkeit immer gleich geben. Weil jetzt hat der Brenner die Autotür aufgemacht und sofort gesagt:

«Du solltest unbedingt ein Detektivbüro aufmachen.»

Und erst dann hat er sich ins Auto gebeugt und gesehen, daß sich der Berti inzwischen in Luft aufgelöst hat.

9

Der Brenner war bestimmt nicht ein Mensch, der immer gleich das Schlimmste befürchtet hat. Im Gegenteil, bei der Polizei ist es ihm ein paarmal passiert, daß er einen Einsatz verpaßt hat, weil er geglaubt hat, Fehlalarm. Und dann dreifacher Aufwand, bis man die Sache unter den Teppich gekehrt hat.

Jetzt natürlich doppelt alarmierend, wenn so einer sofort das Schlimmste befürchtet. Nach fünf Minuten hat er das Warten nicht mehr ausgehalten und hat die Frau Rupprechter einfach im Auto sitzengelassen. Er ist zur Imbiß-Rosi hinübergelaufen und hat sie gefragt, ob sie nichts vom kleinen Berti gesehen hat.

«Frag doch in der Wäscherei», hat ihm die Rosi geraten. «Da sehen sie direkt auf den Parkplatz hinaus.»

«Wo ist die Wäscherei?»

«Gleich da drüben, wo sie die verspiegelten Fenster haben.»

Der Brenner hat sich noch ein bißchen gewundert, daß sie ausgerechnet bei der Wäscherei verspiegelte Fenster haben. Aber wie er hineingekommen ist, hat er gewußt, wieso. Es wäre nicht die Rosi gewesen, wenn sie nicht «Wäscherei» zur Leichenwäscherei gesagt hätte.

In der Schule hat der Brenner einmal am Tag der offenen Tür die Puntigamer Brauerei besichtigt. Natürlich Freibier, und dieser erste Vollrausch seines Lebens war so fürchterlich, daß es auch sein letzter geblieben ist. Bei der Besichtigung war er aber noch nüchtern, und da sind sie in eine riesige Halle geführt worden, so groß wie ein Hallenbad und alles verfliest. Aber kein Schwimmbecken, sondern eine Badewanne neben der anderen, weil da lagert das Bier, bis es reif ist. Und wie der

Brenner damals in diese kühle Bierhalle gekommen ist, war sein erster Gedanke: So stelle ich mir eine Leichenwäscherei vor.

Und war kein schlechter Gedanke für einen Fünfzehnjährigen! Hier war zwar im einzelnen alles anders: nur zwei Badewannen, und dafür die Kühlschrankwand und die Tische und die Rollbahren mit den Leichen drauf, aber der Gesamteindruck trotzdem sehr ähnlich. Und sogar der junge Arbeiter im weißen Kittel hat den Brenner jetzt an den Puntigamer Brau-Ingenieur erinnert, der damals die Führung gemacht hat.

Er ist aber kein Leichenwäscher gewesen, sondern Spezialaufgabe. Weil in so einem riesigen Krankenhaus wie dem AKH fallen natürlich viele amputierte Gliedmaßen an, und die müssen entsorgt werden. Der Embryo kommt in die Hautcreme, der hat eine Wiederverwendung, aber zum Beispiel ein Raucherbein hat keine Wiederverwendung. Und das kann man nicht einfach in die Mülltonne werfen.

«Guten Tag, womit kann ich dienen?» hat der junge Mann höflich gefragt, aber ohne aufzuschauen, weil es hat ihn gerade ein bißchen mit dem Bein gefuxt, das fast zu lang für den Ofen war. «Die Kollegen sind gerade alle auf Mittagspause.»

Der Brenner hat sich so gewundert, daß hier so ein junger, intelligenter Mensch arbeitet, daß ihm fast seine Frage nicht mehr eingefallen wäre. «Ich suche meinen Kollegen.»

Der Arbeiter hat die Ofentür hinter dem Bein zugemacht und sich zum Brenner umgedreht: «Hier ist er nicht dabei?» hat er auf die fünf, sechs Leichen gedeutet, die offen herumgelegen sind.

«Mein Kollege ist nicht tot», hat der Brenner gesagt. Aber vollkommen sicher kann er sich in dem Moment auch nicht mehr gewesen sein, sonst hätte er nicht doch vorsichtshalber einen Blick auf die Leichen geworfen.

«Dann sind Sie hier falsch», hat der Junge gelächelt. Er hat so ein intelligentes Gesicht gehabt, daß der Brenner gedacht hat: wahrscheinlich ein Student oder ein Perverser.

«Sie sehen doch da auf den Parkplatz hinaus», hat der Brenner angesetzt. Weil da hat die Rosi recht gehabt, das waren die reinsten Panoramafenster auf den Rettungsparkplatz hinaus.

«Selten. Herinnen ist es viel interessanter», hat der Junge gegrinst.

Vielleicht doch kein Student, ist es dem Brenner durch den Kopf gegangen.

«Ist Ihnen vielleicht trotzdem in der letzten halben Stunde irgend etwas Ungewöhnliches aufgefallen da draußen?»

«Etwas Ungewöhnliches auf dem Rettungsparkplatz? Sie meinen, ein Rettungsfahrer ohne Sonnenbrille oder ohne Schnurrbart?»

«Ein Rettungsfahrer ohne Schnurrbart, aber mit Sonnenbrille, fast zwei Meter groß und so dünn wie eine Micky Maus.»

«Das ist Ihr Kollege?»

«Genau. Und er ist mir da draußen abhanden gekommen.»

«Der ist mir nicht aufgefallen. Und er hätte mir auch gar nicht auffallen können. Weil nämlich ein Lastauto die längste Zeit vor dem Fenster gestanden ist.»

«Seit wann dürfen da draußen Lastautos parken?»

«Das hab ich mich auch gefragt», hat der Junge gesagt, und dann hat es bei seinem Ofen geklingelt, ungefähr so, wie es bei den Mikrowellen klingelt, und er hat die Tür aufgemacht und das nächste Bein hineingestopft.

«Hat der Laster eine Aufschrift gehabt?»

«Ist mir nicht aufgefallen.»

«Vielleicht Watzek-Beton?»

«Keine Ahnung», hat der Bursch gesagt, weil das ist kein Mensch gewesen, der einem unbedingt nach dem Mund reden will, da sind Studenten und Perverse ja immer sehr auf die geistige Unabhängigkeit aus.

Wie der Brenner zurück zum Auto gekommen ist, hat er gleich gesehen, daß das Funkmikro abgerissen war. «Was haben Sie denn mit dem Funkmikro gemacht, Frau Rupprechter?»

Ob du es glaubst oder nicht: Nur weil der Brenner sie fünf Minuten allein gelassen hat, hat sie gleich versucht, über Funk Hilfe zu rufen. Aber natürlich, statt daß sie auf den einzigen Knopf auf dem Mikro gedrückt hätte, hat sie vor Ungeduld und Zorn gleich das Kabel herausgerissen.

«Sobald ich daheim bin, werde ich mich über Sie beschweren», hat sie geflucht.

«Ja, Frau Rupprechter.»

«Wo ist überhaupt Ihr Kollege?»

«Tot, Frau Rupprechter.»

Das hat er aber jetzt nur gesagt, um sie zu erschrecken. Nur blöd, daß er selber darüber mehr erschrocken ist als die Alte. Wie er sie dann endlich losgeworden ist, hat der Brenner einrücken und ein neues Funkmikro abholen müssen.

In der Zentrale haben sie von sich aus nichts vom kleinen Berti gesagt, und er hat auch nicht erwähnt, daß er verschwunden ist. Er hat gehofft, daß er halbwegs gemütliche Einsätze kriegt, wo er nebenbei ein bißchen nach dem Berti suchen kann. Aber wie es der Teufel so haben will, eine Einsatzmäßige nach der anderen.

Und gegen Abend dann eine Fahrt, über der er den kleinen Berti fast vollkommen vergessen hätte.

Die Frau ist ihm gleich so bekannt vorgekommen. Obwohl das Alter sie natürlich verändert hat. Und der Krebs hat sie noch mehr verändert. Und was den Brenner alles verändert hat, das hat er lieber gar nicht wissen wollen.

Trotzdem haben die beiden sich fast gleichzeitig erkannt. Nicht sofort, sondern zuerst einmal erschrocken wegschauen, und dann doch wieder hinschnuppern, und dann wieder wegschauen, und dann ein bißchen lächeln und dann gleichzeitig:

«Sind Sie –?» und dann verlegen lachen über das «Sie», obwohl man sich doch einmal ewige Liebe geschworen hat im Gymnasium von Puntigam.

«Die Klara», hat der Brenner geschmunzelt.

Und die Klara hat ihre Augenbraue auf genau dieselbe affektierte Weise hochgezogen, wie es dem Brenner schon damals immer so imponiert hat.

Und damit es nicht vor lauter Schmunzeln und Augenbrauenhochziehen auf einmal noch gefühlsmäßig wird, hat er schnell gesagt: «Dich hat es also auch nach Wien verschlagen.»

«Schon vor 28 Jahren.»

Vor 28 Jahren bist du ja noch in den Puntigamer Kindergarten gegangen. Oder: Bist du schon im Mutterbauch nach Wien übersiedelt? Oder: Haben sie dich beim Volksschulausflug vergessen? Oder was man da so alles sagen könnte.

Aber vielleicht doch lieber keinen Scherz über das Alter machen, wenn du einen Menschen gerade zur Krebstherapie fährst. «28 Jahre schon? Bist du zum Studieren nach Wien?»

«Ja. Und du? Ich habe geglaubt, du bist bei der Polizei gelandet?»

«Ja, bauchgelandet.»

Hoch die Augenbraue. «Wie lange warst du dabei?»

«Neunzehn Jahre.»

«Neunzehn Jahre? Hast du schon im Kindergarten angefangen?»

Ich möchte nicht sagen, daß er sich auf der Stelle wieder in die Klara verliebt hat. Aber er hat auf der Stelle wieder gewußt, was ihm damals so an ihr gefallen hat. Weil sein ganzes Leben hat er keine Frau mehr gefunden, mit der so gut der Schmäh gerannt ist wie mit der Klara damals im Puntigamer Gymnasium.

Obwohl sie aus bester Familie gewesen ist, wo man normalerweise sagen müßte, paßt nicht ganz mit dem Brenner seiner Herkunft zusammen, humormäßig.

Aber andererseits waren die beiden ja aus Puntigam, wo das Bier herkommt. Und die Klara mitten aus der Bierfamilie. Und Bierfamilie vielleicht humormäßig doch nicht so weit von den einfachen Leuten entfernt.

Obwohl sich die Familie von der Klara wirklich bemüht hat, daß sie den Hopfengeruch möglichst los wird. Feine Erziehung und alles. Nur daß es die Klara in dem Schweizer Internat nicht lange ausgehalten hat. Aber sie hat auch daheim in einem Bach-Chor gesungen, die hat zweimal in der Woche zur Probe müssen. Und über den Musikgeschmack vom Brenner hat sie damals natürlich schon ein bißchen das feine Biernäschen gerümpft.

Aber sonst muß ich wirklich sagen. Du wirst nicht leicht einen Menschen finden, der sich so wenig eingebildet hat wie die Klara. Auf das Geld schon gar nicht. Und sogar bei der Musik, möchte ich sagen, ist es mehr dem Brenner seine Überempfindlichkeit gewesen mit seinem ewigen Jimi Hendrix als der Klara ihre Einbildung.

«Und, was hast du so gemacht in den 28 Jahren in Wien?»

«Ich bin Musiklehrerin in einem Gymnasium.»

«Das hättest du aber nicht nötig.»

Die Klara hat gelächelt. Du weißt schon, dieses gewisse Lächeln, das die geldigen Leute kriegen, wenn ihnen ein armer Schlucker zu verstehen gibt: Du mit deinem Geld kannst keine Probleme haben.

Dem Brenner ist es gleich peinlich gewesen, daß es nach drei Jahrzehnten keine drei Minuten gedauert hat, bis ihm schon eine Anspielung auf das Geld herausgerutscht ist. Und ich persönlich muß auch sagen. Ich bin bestimmt der erste, der sagt: Wenn einer zuviel Geld einsteckt, muß er auch damit rechnen, daß er eines Tages von der Laterne baumelt. Aber das muß man einfach still und professionell erledigen, da braucht man doch nicht die ganze Zeit neidige Anspielungen machen.

«Erben ist auch nicht immer leicht, oder?» hat der Brenner versucht, seinen Schnitzer wieder auszubügeln, praktisch Einfühlungsvermögen.

«Sankt Erben ist auch nicht immer leicht», hat die Klara gelächelt.

«Sankt Erben?»

Die Klara hat ihn so angeschaut wie früher immer, wenn er auf der Leitung gestanden ist. Weil natürlich intelligenzmäßig ist ihm die Klara schon ein bißchen voraus gewesen.

St. Erben, hat der Brenner überlegt. Und dann natürlich: Sterben. Mein lieber Schwan. Wenn du heute zur Strahlentherapie fährst und solche Witze machst, Hut ab.

Nachteil: Jetzt hat der Brenner das Thema nicht mehr gut umgehen können. «Was fehlt dir denn?» hat er so neutral wie möglich gefragt.

«Mir ist eine Laus über die Leber gelaufen.»

«Über die Leber? Ausgerechnet.»

«Ja, ausgerechnet.»

«Möchte man meinen, das Bier schlägt sich einem nur auf die Leber, wenn man es auch trinkt.»

«Manchmal ist es schlimmer, wenn man es erbt.»

«Du hast dir immer schon zu viele Gedanken gemacht. Daß deine Eltern schuld sind, wenn sich irgendein armer Schlucker zu Tode säuft.»

«Siehst du, darum hab ich die Arbeit als Musiklehrerin nötig gehabt.»

«Und wie sind deine Chancen?»

«Bei den Männern?»

«Bei den Strahlen.»

«Besser als bei den Männern.»

«Dann brauch ich mir ja keine Sorgen machen», hat der Brenner herausgewürgt. Unglaublich, aber er hat direkt ein bißchen aufpassen müssen, daß ihm nicht dieser berühmte Kloß in die

Stimmbänder rutscht. Weil er hat jetzt so einen richtig sentimentalen Anfall gekriegt.

Er hat sich erinnert, wie es damals mit der Klara auseinandergegangen ist. Schuld war die hübsche Freundin von der Klara. Die Bernadette. Die hat sogar einmal in einer Puntigamer Nobeldisco den Miss-Busen-Wettbewerb gewonnen. Aber der Moderator von dem Wettbewerb war ein bekannter ehemaliger Schlagersänger aus Wien, der hat dann dem Brenner noch in derselben Nacht die Miss Busen ausgespannt.

Und jetzt ist es mit der Klara und dem Brenner auch wieder auseinandergegangen, sprich: Sie sind bei der Strahlenstation angekommen. Der Brenner hat sie hinaufbegleitet, und zum Abschied hat er gefragt: «Fährst du öfter mit uns zur Therapie?»

«Zweimal die Woche.»

«Dann sehen wir uns ja sicher wieder.»

«Sicher.» Die Augenbraue hat sie unten gelassen. Aber der Brenner hat nicht mehr genau gewußt: gutes oder schlechtes Zeichen?

«Also dann.»

«Also dann.»

Er hätte gern noch etwas Netteres gesagt. Aber es ist ihm nichts eingefallen. Und da siehst du wieder den Vorteil von der Marathonsubstanz. Der Brenner hat überhaupt keine Zeit mehr für melancholische Gefühle gehabt. Weil sofort die nächste Tour. Und wieder die Lebensleier von irgendwem anhören. Und wieder die Leier und wieder die Leier.

Erst wie er dann am Abend in seine Wohnung gekommen ist, hat die Substanz ein bißchen nachgelassen. Die Klara ist ihm wieder eingefallen und nicht mehr aus dem Kopf gegangen, und fast hätte er sie schon angerufen. Aber ich glaube, es war mehr so ein Ablenkungsmanöver, weil er einfach nicht gewußt hat, wo er den kleinen Berti suchen soll. Statt dessen ist er

am Fenster gestanden und hat auf den Rettungshof hinuntergeschaut. Und dabei hat er leise diese Melodie gepfiffen.

Eine komische Gewohnheit vom Brenner, daß er oft tage-
lang irgendein Lied gepfiffen hat, ohne daß er es selber richtig
gemerkt hat. Aber wenn er es sich dann überlegt hat, was er da
eigentlich pfeift, hat der Text von dem Lied oft haargenau zu
seiner Situation gepaßt, obwohl er beim Pfeifen gar nicht an
den Text gedacht hat. Praktisch «Foxy Lady», wenn er in eine
Rothaarige verliebt war, oder «Ich kauf mir lieber einen Tiro-
lerhut, der steht mir so gut», wenn ihm der Friseur die Haare
verschnitten hat, oder meinetwegen: Potenzängste.

Und ob du es glaubst oder nicht: Einmal ist ihm eine Freundin deswegen davongerannt. Also nicht Potenzprobleme, sondern weil sie seine ewige Pfeiferei nicht ausgehalten hat. Dabei
hat er immer nur ganz leise gepfiffen, mit eingezogener Luft.
Aber das ist keine Rothaarige gewesen, sondern mehr so mit-
telding.

Und was der Brenner an diesem Abend völlig unbewußt gepfiffen hat, auch wieder sehr sprechend. Weil es ist ein Lied gewesen, das ihm die Klara einmal auf eine Kassette aufgenommen hat.

Die Wohnung vom Brenner hat zweieinhalb Zimmer gehabt,
siebzig Quadratmeter. Da kannst du nach einer achtundzwanzig Jahre alten Kassette lange suchen. Der Brenner war zwar sicher, daß sie noch irgendwo sein muß. Aber man sagt ja: Dreimal umgezogen ist so gut wie einmal abgebrannt. Und der
Brenner ist in den letzten beiden Jahren öfter als dreimal umgezogen. Jetzt hat er natürlich von den Dingen, die noch vor
zwei Jahren in seiner Buwog-Wohnung herumgelegen sind, die
Hälfte nicht mehr gehabt.

Dabei tauchen die meisten Dinge dann doch irgendwann
wieder auf. Aber nein, genau das, was du suchst, ist nicht da.
Ich glaube, da steckt schon ein bißchen ein Gesetz dahinter.

Und noch ein Gesetz: Wenn du heute übersiedelst, wirfst du alles weg, was du seit Jahren nicht mehr gebraucht hast, damit du nicht soviel zum Transportieren und Einräumen hast. Aber ausgerechnet am ersten Tag in der neuen Wohnung brauchst du es dringend und mußt es dir neu kaufen.

Und noch ein Gesetz: Wenn wo ein Umweg gewesen ist, dann hat ihn der Brenner garantiert genommen. Das hat ja seine Vorgesetzten bei der Polizei immer so zur Weißglut getrieben. Und manchmal habe ich schon den Verdacht gehabt, er tut es absichtlich. Aber dann muß ich immer wieder zugeben, er kann sich einfach wirklich nicht auf das Wesentliche konzentrieren. Jetzt hat der Brenner, statt endlich den kleinen Berti zu suchen, der womöglich in Lebensgefahr war, stundenlang nach der Kassette gesucht.

Er hat da so eine Schachtel voll mit alten Kassetten gehabt, die sind zum Großteil schon über zwanzig Jahre alt gewesen. Zum Teil noch aus der Schulzeit. Und er hat diese Schachtel schon seit Jahren nicht mehr aufgemacht.

Weil seit das mit den CDs aufgekommen ist, horcht kein Mensch mehr diese Kassetten. Höchstens im Auto, und Auto hat er ja privat keines gehabt. Und im Rettungsauto die Streiterei mit den Kollegen um die richtige Musik, nein, danke. Den ganzen Tag das Radiogesuder ist da genau das richtige für alle gewesen.

Er hat die Schachtel schon nach ein paar Minuten gefunden, und jetzt muß ich zugeben, das ist eigentlich ein schlechtes Beispiel für mein Gesetz, weil eigentlich alles in Ordnung: Er hat sie übersiedelt, und er hat sie gebraucht. Aber warte, was ich dir sage.

In der Schachtel sind fünfzig, wenn nicht hundert Kassetten gelegen. Da hat er fast zwei Stunden in dem Durcheinander herumgesucht. Dann legst du wieder eine Kassette ein und horchst, was drauf ist, weil Uraltbeschriftung, und dann drehst du sie um, und dann spulst du eine halbe Stunde, das geht ja furchtbar in die Zeit.

Und während der ganzen Zeit hat er nicht eine Sekunde an den Berti gedacht. Daß es so was gibt! Man sollte einen Menschen suchen und sucht statt dessen eine Kassette. Und nicht, daß du glaubst, die Kassette hätte ihm dann verraten, wo er den Berti findet.

Weil wie er endlich alle Kassetten durchgehabt hat, hat er es einsehen müssen: Alle Kassetten waren da, außer der Bach-Kassette, die ihm die Klara damals in Puntigam aufgenommen hat. Und siehst du, da haben wir wieder das Gesetz.

10

«Von den Männern bin ich ein für allemal geheilt», hat die Blutbanksekretärin Nicole gesagt und ihren Arm um den Brenner gelegt.

«Das kann ich verstehen.»

«Wieso kannst duuu das verstehen?»

«Weil du so deutlich sprichst.»

«Findest du, daß ich so deutlich spreche?» hat sie ihm ins Ohr geflüstert. Ich bin nicht ganz sicher, ob überhaupt noch Schallwellen im Spiel gewesen sind, oder schon Direktübertragung von den Lippen auf das Trommelfell.

Jetzt will ich nicht so tun, als wäre dem Brenner das prinzipiell unangenehm gewesen. Oder als wäre er so ein ding gewesen, quasi englischer Gentleman, der es grundsätzlich nicht ausnützt, wenn eine Frau fünf, sechs bunte Regenschirmchen-Drinks intus hat. Bestimmt nicht.

Aber sosehr er sonst für jeden Umweg aufgeschlossen war, ist ihm die Nicole jetzt doch zuviel gewesen.

Nachdem er daheim stundenlang die Kassette gesucht hat statt den Berti, ist er um Viertel nach zehn dann doch noch nach Floridsdorf hinausgefahren und hat bei den Watzek-Betonwerken ein bißchen herumgesucht.

Wie dann vier Männer herausgekommen sind, war es für den Brenner nicht schwer, den Rettungsbund-Chef zu erkennen. Weil er war nur halb so breit wie die drei Betonarbeiter, und natürlich die Ähnlichkeit zu seinem erschossenen Bruder gewaltig.

Der Stenzl und der fetteste von den drei Betonarbeitern sind dann in einem weißen Mercedes weggefahren und die beiden anderen in einem kleinen LKW mit so einem blauen Planenaufbau. Natürlich wäre der Brenner lieber im Mercedes mitgefahren, aber hinten im LKW-Aufbau war es einfach unauffälliger. Der Leichenwäscher hat sich am Nachmittag geärgert, daß die Plane die Sicht verstellt, aber der Brenner jetzt natürlich froh darüber.

Wie der Mercedes und der Laster dann vor dem *Golden Heart* geparkt haben, hat der Brenner noch fünf Minuten hinter der Plane gewartet, und dann ist er auch in das *Golden Heart* hinein. Die beiden Arbeiter hat er gleich gesehen, aber die zwei aus dem Mercedes waren weg.

Dafür war die Nicole da und hat ihn an ihren Tisch geholt. Das war um Viertel nach elf, und jetzt schon halb eins und immer noch Hochbetrieb im *Golden Heart*. Und der Brenner immer noch am Tisch von der Nicole.

«Und wieso willst du nichts mehr von den Männern wissen?» hat er sie gefragt.

«Das verstehe ich gut», hat ihm die Nicole ins Ohr geflüstert. «Weil du so deutlich sprichst!»

Er hätte wahrscheinlich auch ohne die Nicole kein Wort mit der Angelika Lanz reden können, so ein Betrieb war immer noch im *Golden Heart*, wo sich die Rettungsbündler um ihr bißchen Monatsgehalt gepokert haben. Der Brenner hat gesehen, wie einer im Lauf des Abends zuerst 20 000 Schilling verloren und dann in einem einzigen Spiel wieder gewonnen hat. Er hat es richtig sehen können, wie dem Mann bei diesem letzten Spiel der Schweiß durch das Hemd gekommen ist.

Im Gegensatz zu dem Spieler ist das für den Brenner aber ein angenehmer Moment gewesen. Weil erstmals an diesem Abend haben die Gäste im *Golden Heart* einen anderen angestarrt. Den schwitzenden Pokerer aus den eigenen Reihen statt den Kreuzretter, der sich schon wieder ins *Golden Heart* traut, kaum daß sein Aug verheilt ist.

So gesehen hat der Brenner auch wieder froh sein können, daß die Nicole, die einen bunten Regenschirmchen-Drink nach dem anderen bestellt hat, sich mit ihm unterhalten hat. Und jedesmal, wenn so ein Drink serviert worden ist, hat er diese Melodie leise vor sich hin gepfiffen. Du weißt schon, seine alte Krankheit.

«Was pfeifst du denn da jedesmal, wenn ich meinen Drink kriege?» hat die Nicole auf einmal ärgerlich gefragt. Weil wenn du angesoffen bist, ist ja oft die Emotion ein bißchen vorlaut.

«Pfeife ich?»

Die Musik im Lokal ist laut genug gewesen, daß er selber sein Pfeifen nicht gehört hat, obwohl er mit eingezogener Luft gepfiffen hat. Jetzt hat er sich gewundert, daß die Nicole es gehört hat.

«Oder spitzt du die Lippen nur so sexy, weil du mir ins Glas spucken willst?» hat die Nicole gelacht, praktisch: bester Witz, den ich jemals gerissen habe.

Aber den Brenner hat es jetzt selber interessiert, was er da pfeift, und er hat nicht lange herumsuchen müssen, da hat er die Melodie wieder auf den Lippen gehabt. Die Melodie von der Kassette, die er stundenlang umsonst gesucht hat.

«Ein Kirchenlied.»

«Ein Kirschenlied? Wieso pfeifst du ein Kirschenlied, wenn ich einen Erdbeerdaiquiri trinke? Du mußt ein Erdbeerlied pfeifen, nicht ein Kirschenlied!» hat die Nicole gelacht. Und dann hat sie sich ganz ungesund verbogen, das würde kein Physiotherapeut auf der Welt empfehlen. Sie hat ihre Wange so auf das Schlüsselbein vom Brenner gelegt, daß ihr Gesicht nach unten geschaut hat, aber ihre Marsaugen nach oben gedreht, bis sie dem Brenner in die Augen geschaut hat. Und nur der Kopf hat sich ein bißchen mitgedreht, der ganze betrunkene Körper ist dabei ruhig geblieben, und der Brenner hat schon gewartet, daß er jeden Moment ihren Nackenwirbel krachen hört. Aber statt dessen hat er nur gehört, wie sie gesagt hat: «Bitte! Pfeif ein Erdbeerlied für mich.»

«Ich hab nicht Kirschenlied gesagt.»

«Nicht Kirschenlied? Aber Erdbeerlied hast du auch nicht gesagt.»

«Ich hab gesagt: Kirchenlied. Kirche. Wo man Wein trinkt. Keine Shakes mit Regenschirmchen.»

Obwohl, da muß ich den Brenner korrigieren. Ich habe mir sagen lassen, daß es heute schon Pfarreien gibt, die mit der Mode gehen und auch die Regenschirmchen haben.

«Hilfe, du bist vielleicht pervers! Du pfeifst einfach so ein Kirchenlied?»

«Es ist mir nicht aufgefallen.»

«Und was für ein Kirchenlied?»

«Vergiß es.»

«Biiietee! Pfeif noch einmal das Kirchenlied für mich. Ob ich's erkenne.»

«Komm, süßer Tod.»

«Wie bitte?»

«‹Komm, süßer Tod› heißt das Kirchenlied.»

Das kennst du bestimmt aus der Schulzeit, wenn man das erste Mal für das geometrische Zeichnen einen Zirkel bekommt. Da gibt es nichts Lustigeres, als dem Schüler vor dir mitten in der Schulstunde ein bißchen den Zirkel in den Arsch zu rammen. Genau so ist jetzt die Nicole aufgehüpft, wie es der Brenner zuletzt gesehen hat, wie er im Puntigamer Gymnasium den Walter Neuhold mit dem Zirkel sekkiert hat. Praktisch Tarantel.

Die Nicole natürlich nichts wie weg vom Brenner seinem Schlüsselbein und kerzengerade Sitzposition. «Du schaust zu, wie ich mir einen Erdbeerdaiquiri nach dem anderen bestelle, und pfeifst jedesmal dazu: Komm, süßer Tod? Glaubst du, daß ich mir das gefallen lasse?»

«Ich hab es ja selber nicht gemerkt.»

«Du saufst ja auch ein Bier nach dem anderen. Da schau ich mir an, bei wem von uns zwei der Tod vorher kommt.»

«Sicher bei mir.»

«Wieso willst du das jetzt schon wieder so sicher wissen?»

«Weil du es dir sonst nicht anschauen kannst.»

«Sehr witzig. Du hältst dich wohl für besonders gescheit!»

Der Brenner hat bemerkt, daß die Nicole langsam ein biß-chen explosiv wird. Deshalb hat er versucht, etwas Beruhigendes zu sagen, und der Nicole ganz ehrlich erzählt, daß ihm das Lied nicht mehr aus dem Kopf geht, seit er die Klara getroffen hat.

Aber die Ganz-ehrlich-Methode ist oft nicht ganz das richtige Rezept, wenn man eine Explosion verhindern will.

Und wie er gesehen hat, daß sich die Nicole-Augen in dem Moment, wo er «Klara» sagt, regelrecht verfärben, ist es schon zu spät gewesen. «Ich glaub, daß du den Stenzl umgebracht hast», hat sie nur noch gesagt. «Und das melde ich jetzt der Polizei.»

Und aus. Der Brenner war froh, wie die Nicole bei der Tür draußen gewesen ist. Die höhnischen Grinser von den Rettungsbündlern haben ihm nichts ausgemacht. Eher noch, daß ihm die steinernen Gesichter von den beiden Betonarbeitern ein bißchen zu denken gegeben haben. Kurz hat er überlegt, ob er sie fragen soll, wo ihre Chefs hin verschwunden sind. Aber dann ist er doch wieder in Gedanken versunken.

Eigentlich war es gar kein Kirchenlied, was ihm die Klara damals aufgenommen hat. Eigentlich hat das Passion geheißen, ist dem Brenner jetzt wieder eingefallen. Und er hat sich über-legt, was wohl die Nicole gesagt hätte, wenn er statt «Kirchenlied» gesagt hätte «Passion». Irgendein Blödsinn wäre ihr schon eingefallen.

Wie ihm die Klara damals im Gymnasium das Lied aufgenommen hat, hat es ihm sogar gefallen. Obwohl sein persönlicher Geschmack damals: nur Jimi Hendrix. Und du wirst lachen, Bach und Jimi Hendrix gar nicht so verschieden. Jimi Hendrix immer die Wiederholungen und Bach auch immer die Wiederholungen. Das geht immer so dahin und dahin, und wenn du zufällig gerade siebzehn bist, schwebst du mir nichts, dir nichts auf einer Wolke.

Aber natürlich, das war nur dem Brenner seine Sichtweise. Die Klara ist schon mehr die Kennerin gewesen, und Bach mit der Fuge und alles.

Aber «Komm, süßer Tod», das ist schon bei der Klara auch mehr die Pubertät gewesen als die Kennerschaft, sprich: alles immer mit Tod und ding. Weil wenn du heute siebzehn bist, dann hat der Tod eine gewisse Süße. Mit siebzehn bist du ja noch unsterblich, aber weil das Leben oft bitter ist mit siebzehn, denkst du dir: der Tod eigentlich süß. Und da ist eben der Tod ein großer Tod, aus dieser gewissen Puntigamer Stimmung heraus. Aber wenn du mit fünfzig zur Strahlentherapie fährst, Tod nur Scheiße.

Ich weiß jetzt nicht, ist der Brenner so tief in diesen Gedanken versunken, oder ist er wirklich ein bißchen eingeschlafen. Und Wunder wäre es keines. Nach drei Wochen Durcharbeiten haben ihn die zwei Bier ziemlich müde gemacht. Jedenfalls sind auf einmal die pokernden Rettungsbündler und die Watzek-Beton-Fahrer weg gewesen, und er war allein mit der Lanz Angelika.

«Daß man dich wieder einmal sieht», hat die Angelika gesagt.

«Ich versuche schon ein paar Tage, dich zu erreichen.»

«Ich bin nicht soviel daheim in letzter Zeit.»

«Ich weiß.»

«Mein Vater hat vorgestern gestanden.»

Die Angelika hat eine silberne Plastikbluse und eine glänzende schwarze Plastikhose angehabt. Und die Schnalle von ihrem

Gürtel ist aus goldenen Buchstaben gewesen: ESCAPADE, praktisch Ausschweifung.

«Das hab ich gehört», hat der Brenner gesagt.

«Das ist alles, was dir dazu einfällt?» hat die Angelika noch geglaubt, sie ist es, die hier forsch sein kann.

«Ich weiß nicht, ob du das andere so gern hörst.»

Die Angelika hat sich eine angeraucht: «Und das wäre?»

«Das wäre: Wieso du mir nichts von den Spielschulden von deinem Vater gesagt hast.»

«Und?»

«Und wo bist du eigentlich an dem Nachmittag gewesen, wo der Bimbo sich an seiner Goldkette verschluckt hat?»

Die Angelika hat den Rauch so heftig ausgestoßen, als müßte sie damit eine Gelse erschießen. Da hat es den Brenner nicht gewundert, daß es ihr im Rückstoß den Kopf derart arrogant in den Nacken geschleudert hat. «Daß ich nicht lache», hat sie mit der restlichen Luft ausgestoßen.

«Wäre nicht das erste Mal, daß ein Vater seinen Schädel für die Tochter hinhält.»

«In dem einen Punkt hast du recht: Mein Vater hat es wirklich nicht getan.»

«Ich glaub auch nicht, daß es dein Vater getan hat. Er ist viel zu schwach, um den Bimbo zu erwürgen.»

«Und mir traust du es zu?» hat sie gelacht.

«Nicht, daß du es getan hast. Aber daß du was weißt.»

Die Angelika hat die Aschenbecher in den Mistkübel geleert und den Mistkübel in einen riesigen Müllsack. Dann hat sie den Müllsack in den Speisenaufzug gestellt. Im *Golden Heart* gibt es zwar kein Essen, aber früher ist oben ein Restaurant gewesen und herunten im Souterrain die Küche, wo heute das *Golden Heart* ist. Dann zehnmal umgebaut, und heute ist aus dem Speisenaufzug der Mistaufzug geworden.

«Bis vor zwei Tagen hat mein Vater 800 000 Schilling minus

auf dem Konto gehabt. Und 700 000 hat er dem Bimbo noch geschuldet.»

Die Angelika hat nebenbei den Gläserspüler eingeschaltet und die offenen Weinflaschen mit so einem grausigen Gummistöpsel verschlossen. Dem Brenner ist aufgefallen, daß sie ganz eigene Fingerbewegungen entwickelt hat, damit sie sich ihre fünf Zentimeter langen Nägel nicht abbricht.

«Seit zwei Tagen ist das Konto ausgeglichen. Und die geschiedene Frau vom Bimbo hat ihre Forderungen zurückgezogen.»

Der Brenner hat heute seinen musikalischen Tag gehabt, weil er hat jetzt fast gesungen: «Wer wird das bezahlen? Wer hat das bestellt? Wer hat so viel Pinkepinke? Wer hat so viel Geld?»

«Das frag ich mich auch», hat die Angelika auf einmal ganz düster gesagt. Aber ich weiß jetzt nicht: düster wegen der Angelegenheit, oder düster, weil er wie das depperte Lied geredet hat.

«Das heißt», hat der Brenner wieder wie ein normaler Mensch gesagt, «dein Vater kriegt jetzt acht Jahre, vier davon nur bedingt, weil ihn der Bimbo tyrannisiert und provoziert hat. Und nach zwei Jahren ist er wegen guter Führung wieder heraußen und seine Schulden los.»

Die Angelika hat die Eiswürfelbox ausgewaschen, mit frischem Wasser gefüllt und sie ins Gefrierfach zurückgestellt.

«Eineinhalb Millionen in zwei Jahren. So viel hat dein Vater noch nie verdient.»

«Ich auch nicht.»

«Und wer ihm das zahlt, weißt du nicht zufällig?»

«Woher soll ich das wissen?»

«Du wohnst bei uns, und du arbeitest für den Rettungsbund. Du müßtest doch einiges hören.»

«Wahrscheinlich zahlt es derjenige, der den Bimbo wirklich auf dem Gewissen hat.»

Da gibt es diese Menschen, bei denen du nicht weißt, ob sie sich blöd stellen oder ob sie wirklich so naiv sind. Sollst du ihnen ein bißchen auf die Zehen steigen, oder sollst du dich mit ihnen friedlich weiter unterhalten?

«Hast du schon einmal was von der Rupprechterin gehört?» hat der Brenner es ein bißchen hintenherum probiert, sprich Themenwechsel.

«Solang ich mich erinnern kann, hat mein Vater über sie geflucht.»

«Das kann ich verstehen.» Der Brenner hat sich einfach eine von den Zigaretten der Angelika genommen, obwohl er keine einzige mehr geraucht hat, seit er bei der Rettung angefangen hat. «Die Irmi ist die Hauskrankenpflegerin von der Rupprechterin gewesen.»

«Weiß ich», hat die Angelika gesagt und ihm Feuer gegeben.

«Du weißt auch alles.»

«Ich wohne bei euch, ich arbeite hier. Da hört man so einiges.»

«Wieso hast du es mir nicht gesagt?»

«Daß die Irmi Hauskrankenpflegerin bei der Rupprechterin war? Was soll daran wichtig sein?»

Der Brenner hat seine Zigarette nach zwei Zügen wieder ausgedämpft.

«Die war doch bestimmt bei noch zwanzig anderen Schreckschrauben Hauskrankenpflegerin», hat die Angelika mit den Schultern gezuckt.

Die Angelika hat ein paar leere Bierflaschen in eine Bierkiste gestellt, dann die Bierkiste auf eine zweite Bierkiste, und dann hat sie mit dem Fuß die beiden Kisten so über den Steinboden geschoben, daß dieses furchtbare Schultafelgeräusch entstanden ist.

«Die Rupprechterin hat mir erzählt, daß die Irmi bei ihr herumgeschnüffelt hat.»

Es hat automatisch ein bißchen aufgeregt geklungen, wie er das gesagt hat, obwohl er nur lauter geredet hat, um das Quietschen zu übertönen.

«Wenn sie sonst nichts getan hat», hat die Angelika im Zurückkommen gesagt. «Sie hätte ja auch jeden Tag eine Million von ihrem Sparbuch abheben können, ohne daß die Rupprechterin es bemerkt hätte. Wäre nicht das erste Mal gewesen, daß eine Pflegerin sich bei so einer hilflosen alten Schachtel bedient.»

«Trotzdem. Ich habe mich ein bißchen umgehört. Die Irmi hat bei ein paar anderen Patientinnen auch herumgeschnüffelt.»

«Meinetwegen. Soll sie. Was willst du mit der? Die ist nur versehentlich erschossen worden!» ist der Angelika langsam die Geduld gerissen. «Die Frau hat auch ihr Leben lang Pech gehabt.»

«Wieso weißt du soviel über sie?»

Die Angelika hat die Oliven aus der Glasschüssel in eine Plastikschüssel geleert und den Deckel draufgegeben, du weißt schon, diese Plastikdosen, die man früher auf eigenen Parties verkauft hat, und die Hausfrauen sind gekommen und haben alles gekauft, und dann sind sie nicht mit dem Haushaltsgeld ausgekommen und Scheidung und alles, aber die Schüsseln schon sehr praktisch.

«Ich arbeite hier.»

«Und du wohnst bei uns.»

Sie hat die Schüssel in den Kühlschrank gestellt, und ich muß schon sagen: Wenn die Speisereste länger halten als die Ehe, ist auch nicht im Sinne des Erfinders. Der Ehe, will ich sagen. Im Sinne des Erfinders der Tupperwareschüsseln vielleicht schon, ja, siehst du, so heißen sie.

«Die Irmi ist mit einem Kollegen von meinem Vater gegangen.»

«Mit wem?»

«Den hast du nicht mehr gekannt.»

Sie hat mit einem rosaroten Wettex die Bar abgewischt und dann das Wettex in den frisch geleerten Mülleimer geworfen und dann an ihren Fingern gerochen und das Gesicht verzogen und dann gesagt: «Ich weiß gar nicht mehr, wie der geheißen hat. Alle haben immer nur Lungauer zu ihm gesagt. Obwohl er gar kein Lungauer gewesen ist, sondern ein Burgenländer. Keine Ahnung, wie der zu dem Namen gekommen ist.»

«Und hat er die Irmi sitzenlassen?»

«Nein, die haben sogar heiraten wollen. Haben gut zusammengepaßt. Überhaupt, ich muß sagen, das ist einer von den Netteren gewesen.»

«Und?»

Sie hat sich die Hände gewaschen, an ihrer Hose abgewischt und wieder an ihren Fingern gerochen. «Ein Wahnsinn, den Wettex-Geruch kriegst du einfach nicht weg von den Fingern. Der Lungauer ist immer mit dem 740er gefahren. Nicht mit dem neuen, sondern bevor sie den neuen gekriegt haben. Da ist der 740er der älteste gewesen. Bei dem ist fast jede Woche irgendeine Reparatur fällig gewesen. Aber der Lungauer war gelernter Mechaniker, der hat sich das meiste selber repariert. Zur Belohnung hat er dann immer mit dem alten Kübel fahren müssen, weil sich der Junior so die Reparaturkosten gespart hat.»

«Seit wann ist er weg?»

«Seit einem guten Jahr vielleicht.»

«Hat er einen Unfall gebaut?»

«Gebaut nicht. Aber gehabt.»

«Gebaut nicht, aber gehabt? Ist irgendwo ein Wörterbuch explodiert, daß mir heute lauter Wortklauber unterkommen?»

Du darfst nicht vergessen, das Erdbeerlied ist ihm immer noch ein bißchen im Magen gelegen.

«Einmal haben sie zu zweit einen Auspuff reparieren wollen. Das war nicht einmal bei seinem 740er. Aber er ist ein hilfsbereiter Typ gewesen.» Die Angelika hat die Zigarettenpackungen gezählt und das Geld aus der Zigarettenschublade herausgenommen. «Jedenfalls ist eine Schraube komplett eingeschmolzen gewesen. Deshalb hat der andere Fahrer einen Helfer gebraucht. Sie sind zu zweit unter der Hebebühne gestanden. Der Lungauer hat dagegengehalten, und der andere hat sich mit aller Kraft in den Schraubenzieher gestemmt. Dann ist er abgerutscht und dem Lungauer mit dem Schraubenzieher genau ins rechte Aug gefahren.»

«Scheiße!»

«Und mit voller Wucht mitten ins Hirn hinein.»

«Scheiße.» Ihm hat die Vorstellung so weh getan, daß er am liebsten aufgeschrien hätte.

«Das kannst du laut sagen.»

«Scheiße», hat der Brenner ganz leise gesagt.

Ist natürlich keine angenehme Vorstellung. Und wenn man auch oft gedankenlos sagt, daß bei jemandem eine Schraube locker ist, so wünscht man ihm doch in den meisten Fällen nicht, daß sie ihm wer mit dem Schraubenzieher wieder anzieht.

«Hat er es überlebt?»

«Überlebt schon. Aber schwer bedient. Rollstuhl. Und geistig auch. Er vegetiert nur noch so dahin. Du weißt schon, wo man sagt, man hätte ihn lieber sterben lassen sollen. Er kann nicht einmal mehr richtig reden, kriegt überhaupt nichts mehr mit.»

Dem Brenner ist die Geschichte so eingefahren, daß er eine Zeitlang gar nichts mehr gesagt hat.

Aber dann hat er es doch wissen wollen. «Wer ist der andere gewesen?»

Die Lanz-Tochter hat die Likörflaschen vor sich aufgereiht: Erdbeer. Himbeer. Kiwi. Schokolade.

«Der Bimbo.»

Scheiße, hat der Brenner gedacht.

Die Angelika hat mit einem Bund von Holzlinealen den Pegelstand in den Schnapsflaschen abgemessen und das Resultat in ein kariertes Schulheft eingetragen.

Mit voller Wucht mitten ins Hirn.

Dem Brenner hat der Gedanke so weh getan, daß er am liebsten aufgeschrien hätte. Der Gedanke, der ihm mit voller Wucht mitten ins Hirn gedonnert ist:

Daß die Kugel von vornherein der Irmi gegolten hat. Daß der Mörder nur durch den Stenzl durchgeschossen hat, um seine Absicht zu verschleiern.

«Was pfeifst du da?» hat die Angelika gefragt, während sie in ihr Heft geschrieben hat.

«Keine Ahnung», hat der Brenner gesagt.

Obwohl er schon lange nicht so eine fürchterliche Ahnung gehabt hat wie in diesem Moment.

II

Wie der Brenner die Angelika stumm bei ihren letzten Handgriffen im *Golden Heart* beobachtet hat, hat er eine interessante Entdeckung gemacht: Wenn du heute als Detektiv zuviel an den Tod denkst, kann es leicht passieren, daß der Tod zur Abwechslung auch einmal an dich denkt.

Obwohl man ja sagt, daß der Tod eine kalte Hand hat. Und die Hand, die dem Brenner jetzt von hinten den Hals zugedrückt hat, ist eine warme Hand gewesen. Und die Hand, die ihm den Arm auf den Rücken gedreht hat, hat sich auch ganz normal angefühlt. Ich möchte nicht sagen menschlich, weil wenn dir jemand halb die Schulter auskegelt, sagt man nicht gern menschlich, Temperatur hin oder her. Und an der fremden Kniescheibe ist ihm auch nicht ihre Kälte aufgefallen, sondern ihre Härte, unter der seine Rippe sofort abgeknickt ist wie der reinste Zahnstocher.

Aber interessant! Bei den Rippen hat er es zuerst gar nicht gespürt. Beim Atmen hat er es zuerst gespürt. Besser gesagt: Atemversuch, sprich Erstickungsanfall.

Deshalb hat der Brenner jetzt kurz die beiden Watzek-Betonfahrer mit dem Tod verwechselt. Obwohl ihn die Betonfahrer gar nicht erschlagen haben. Sie haben ihn nur so in den winzigen Speisenaufzug gestopft, daß der Brenner geglaubt hat, Höllenfahrt, wie sie ihn in den Keller hinuntergelassen haben.

Dabei war es unten viel schöner als oben, so ein bißchen Pokersalon in Las Vegas, mußt du dir vorstellen. Plüsch und Spiegel und alles. Ich persönlich war zwar nie in Las Vegas, aber Fernsehen. In Salzburg war ich einmal in einer Las-Vegas-Bar, und ob du es glaubst oder nicht: Um vier Uhr früh habe ich dort eine blinde Frau kennengelernt.

Das wäre vielleicht eine interessantere Geschichte, aber leider nicht jugendfrei. Jedenfalls, wo bin ich stehengeblieben. Der Las-Vegas-Salon unter dem *Golden Heart*. Er war ungefähr so groß wie das Kreuzrettungskellerstüberl, aber schon wesentlich eleganter. Mit einem riesigen Billardtisch, wie ihn die Engländer haben. Links fahren, zu große Billardtische und Prinzen mit abstehenden Ohren, das ist ein Volk. Aber bitte. Auf dem Billardtisch im *Golden-Heart*-Keller hat momentan sowieso keiner gespielt.

Die Männer sind um einen Spieltisch gesessen und haben den Würfelbecher kreisen lassen: der Watzek-Chef persönlich. Der Chef vom Rettungsbund persönlich. Und der Berti persönlich.

«Gut, daß Sie endlich kommen», hat der Rettungsbündler gesagt und den Würfelbecher geschüttelt. «Uns fehlt eh noch ein Mann.»

Weil der Berti hat nicht gewürfelt. Mit beiden Händen hinterrücks an den Billardtisch gefesselt ist schwer würfeln. Aber interessant! Im Verhältnis zum kleinen Berti mit seinen zwei Metern war der englische Billardtisch von den Proportionen her wieder in Ordnung.

Wie sich der Brenner aus dem Speisenaufzug gezwängt hat, hat er gefürchtet, die gebrochene Rippe kommt ihm vorn bei der Brust heraus, und der Watzek-Chef verwechselt womöglich die Rippe mit einem Pistolenlauf und erschießt ihn, praktisch Notwehr. Aber Gott sei Dank, die Rippe ist nicht herausgekommen. Es war nur so eine subjektive Täuschung, rein vom Schmerz aus betrachtet.

Und im nächsten Moment hat sich der alte Watzek schon persönlich überzeugt, ob der Brenner bewaffnet ist. Obwohl die Arbeiter ihm im *Golden Heart* oben natürlich schon die *Glock* weggenommen haben. Aber «Sicher ist sicher», das war der Werbespruch von Watzek-Beton, und daran hat sich der Beton-

Watzek auch privat gehalten. Für den Brenner ist es natürlich weniger angenehm gewesen. Das mußt du dir ungefähr vorstellen wie eine Operation am offenen Herzen, wenn dir so ein Grobian ohne Narkose auf die gebrochene Rippe greift.

Aber dafür der Stenzl um so höflicher. Er hat dem Brenner den Stuhl herausgezogen und gleich mit dem Würfeln angefangen, als wäre der Brenner ein alter Würfelkumpan.

«Dreiundvierzig», hat er gesagt und dem Brenner den Würfelbecher hingeschoben.

Jetzt Gott sei Dank, daß sie in der Polizeischule oft nächtelang durchgewürfelt haben. Der Brenner hat sofort gewußt, was er tun muß. Weil wenn er auch sonst vielleicht viel aus der Polizeischule vergessen hat, die Regeln für das Würfeln vergißt du nicht mehr.

Das ist genauso, wie du das Schwimmen nicht mehr verlernst, oder sagen wir: das Vaterunser oder das Schifahren. Den Würfelbecher schütteln, ihn auf den Tisch knallen, so unter den Becher linsen, daß nur du die gewürfelte Zahl siehst, und dann die Zahl sagen, und die anderen müssen erraten, ob sie wahr ist oder falsch, das vergißt du nicht mehr.

Und ich finde auch eine gewisse Berechtigung, daß sie in der Polizeischule auf das Würfeln so großen Wert legen. Weil da läßt man den Becher kreisen, und der nächste muß mit den zwei Würfeln immer eine höhere Zahl zusammenbringen als der Vorhergehende. Wenn dein Vorgänger 4 und 2 würfelt, und er sagt «42», dann mußt du mindestens 43 würfeln. Und wenn du mindestens 43 würfelst, ist alles in Ordnung und du gibst den Becher an den nächsten weiter, und der muß wieder etwas Höheres würfeln, und immer so weiter im Kreis.

Jetzt, die Kunst beginnt erst, wenn du etwas Niedrigeres würfelst als dein Vorgänger, sprich Pokerface. Du schaust ja nur heimlich unter den Becher, und dann mußt du einfach eine höhere Zahl behaupten.

Das kann dir jetzt dein Mitspieler glauben oder nicht. Wenn er dir nicht traut, und er hebt den Becher auf, und er erwischt dich beim Lügen, dann zahlst du. Da haben schon Leute ihr ganzes Hab und Gut verloren. Aber wenn ein Mitspieler deinen Becher aufhebt, und du hast nicht gelogen, dann ist wieder er es, der sein Hab und Gut verliert, das ist ja der Witz.

Und darum sage ich, in der Polizeischule haben sie mit Recht Wert auf das Würfeln gelegt. Weil natürlich schon großartige Parallele zum Leben, daß man immer mehr und mehr haben muß, das ganze Bluffen und alles, und am Schluß hebt dir einer den Becher auf und good bye.

Da kannst du zehn Jahre Polizeipsychologie studieren und lernst nicht halb soviel über das Leben wie in zehn Würfelnächten.

Der Brenner hat den Becher geschüttelt, ihn auf den Tisch gestellt, hineingeschaut und gesagt: «Zweiundzwanzig.»

Weil natürlich: Die doppelten Zahlen haben noch einmal jede Mischzahl überboten, und die haben sogar einen eigenen Namen gehabt, sprich: Zweier-Pasch.

«Ich wollte immer schon einmal mit der Schlägertruppe vom Junior würfeln», hat der Rettungsbund-Chef gesagt, während der Watzek den Becher vom Brenner übernommen hat.

«Auf diesem Ohr höre ich nichts, seit mich Ihre Männer zusammengeschlagen haben», hat der Brenner geantwortet. Obwohl ihm dabei fast schlecht geworden ist, so hat ihm bei der Sprecherschütterung die Rippe in die Lunge gestochen.

«Dann mußt du es ihm sagen», hat der Chef vom Rettungsbund dem Watzek gedeutet. Aber der hat nicht einmal mit der Wimper gezuckt. Er hat immer noch den Würfelbecher geschüttelt, als wäre er die reinste brasilianische Rhythmusmaschine. Und wirklich hat der Becher in seinen fetten Tatzen mehr wie ein Spielzeug in der Hand von einem Riesenbaby ausgesehen, weniger wie ein Würfelbecher.

«Hätte ich damals schon gewußt, daß Sie trotzdem munter weiterschnüffeln, würden Sie auf dem anderen Ohr auch nichts mehr hören», hat der Rettungsbündler gesagt. «Und sehen würden Sie auch nichts mehr. Und riechen auch nichts mehr. Und schmecken auch nichts mehr.»

«Aber fühlen schon noch?» hat der Brenner sich erkundigt.

«Ich fürchte, dir wird das Lachen heute noch vergehen.»

«Um welchen Einsatz wollen Sie spielen?» ist der Brenner lieber beim Sie geblieben. Weil heute ist man oft zu schnell per du, und das ist dann gar nicht so günstig, wenn einer womöglich dein Chef oder dein Mörder ist, weil diese Personengruppe neigt von Natur aus ein bißchen zur Respektlosigkeit.

«Wen wir vorher erschießen», hat der Rettungsbündler mit seinen schmalen Lippen gelächelt. «Dich oder deinen Kompagnon.»

Jetzt hat der Brenner innerlich ein bißchen aufgeatmet. Aufatmen ist zwar das Schlimmste, was du mit einer gebrochenen Rippe tun kannst. Aber lieber Rippen- als Todesschmerz, da hat sich zumindest die Qual der Wahl in Grenzen gehalten.

Nicht, daß du glaubst, er hätte aufgeatmet wegen der Hoffnung, daß sie wenigstens den kleinen Berti vor ihm erschießen. Er hat aufgeatmet, weil Sprichwort: Hunde, die bellen, schießen nicht.

«Vierer-Pasch», hat der Watzek gepoltert und den Becher zum Rettungsbündler hinübergeschoben. Weil der Berti immer noch keine Erziehung und die Hände nicht auf dem Tisch.

Vierer-Pasch, das ist natürlich der Moment, wo es beim Würfeln kritisch wird. Wo man normalerweise fast den Becher heben muß, ob man will oder nicht. Weil die Wahrscheinlichkeit, daß du 44 ohne Bluff überbietest, praktisch Null.

Der Rettungsbündler hat den Becher aber nicht aufgehoben, sondern gleich geschüttelt. Und gleichzeitig hat er gesagt: «Aber vorher will ich von dir noch etwas wissen.»

«Über den Mord an Ihrem Bruder?»

«Daß ich nicht hinter dem Mord an meinem Bruder stecke, das wißt ihr genau.»

«Sie haben Ihren Bruder hinausgeworfen, und die Kreuzretter haben ihm daraufhin den Chefposten bei der Blutbank zugeschanzt. Jetzt haben Sie gefürchtet, daß damit der gesamte Bluthandel zu den Kreuzrettern wandert.»

«Und was glaubst du, was der Sportsakko-Verein genau aus diesem Grund in den letzten vier Wochen getan hat? Die haben mir das ganze Haus dreimal auf den Kopf gestellt. Aber nicht so viel gefunden!» hat der Rettungsbündler auf das Schwarze unter seinem Fingernagel gedeutet. «Und das weiß der Junior genausogut wie ich.»

«Was glauben Sie, wer Ihren Bruder umgebracht hat?»

«Was weiß ich, in wie viele dreckige Geschichten der noch verwickelt war. Da hat es eben irgendwem endgültig gereicht.»

«Da sind Sie ja noch human gewesen, daß Sie ihn nur hinausgeschmissen haben.»

«So ist es. Wenn schon, hätte ich ihn gleich erschießen müssen. Jetzt nützt es mir nichts mehr, daß er tot ist, wo er mich inzwischen längst beim Junior mit der Buchführung hingehängt hat.»

«Was für eine Buchführung?»

«Stell dich nicht so blöd. Glaubst du, ich weiß nicht, was ihr bei mir sucht?»

«Von Buchführung war überhaupt nie die Rede. Der Junior hat nur wissen wollen, ob Sie unseren Funk abhören.»

Jetzt furchtbare Folter. Der alte Watzek und der Rettungsbündler haben über die Begründung vom Brenner so lauthals herausgelacht, daß der Brenner fast hätte mitlachen müssen. Und jeder, der einmal mit einer gebrochenen Rippe gelacht hat, weiß, was das bedeutet.

Aber dann der Rettungsbündler von einem Moment auf den anderen todernst: «Jetzt werde ich dir einmal was erzählen. Wir hören seit Jahren den Kreuzrettungsfunk ab. Und die Kreuzretter hören seit Jahren unseren Funk ab. Mit vollem Einverständnis! Das ist für beide Seiten das beste. Das ist wie bei verfeindeten Staaten, wo gerade die gegenseitige Spionage den Frieden sichert. So wissen beide Seiten immer genau, woran sie sind. Nicht Friede, aber Waffenstillstand.»

So eine gebrochene Rippe ist etwas Hochinteressantes. Natürlich tut sie dir bei einem Lachkrampf oder bei einem Wutanfall weh, weil körperlich. Aber daß sie dich bei einem unterdrückten Zornausbruch, bei dem du dich überhaupt nicht bewegst, genauso sticht wie bei einem herausgelassenen Zornausbruch, das ist interessant. Weil obwohl der Brenner jetzt so ruhig dagesessen ist wie der reinste Yoga-Lehrer, hat seine Rippe einen Tobsuchtsanfall gekriegt, daß er vor Schmerzen am liebsten an den Plafond gehüpft wäre.

Dabei hat er gar nicht wissen können, ob ihn der Rettungsbündler nicht hereinlegt. Ob nicht der Abhörauftrag vom Junior doch seine Berechtigung gehabt hat. Aber siehst du, da ist eine Rippe eben oft schlauer als ihr Eigentümer.

«Also rück endlich mit der Wahrheit heraus», ist der Rettungsbündler immer noch nicht mit seiner Würfelzahl herausgerückt. «Oder würdest du es als Zufall betrachten, daß gleichzeitig mit dem Mord an meinem Bruder zwei Kreuzrettungsschnüffler in meiner Firma auftauchen? Obwohl ich sagen muß: Deine Ausrede mit dem Funkabhören ist so schlecht, daß es mir fast schon wieder zu denken gibt.»

«Was wollen Sie wissen?»

«Ich will wissen, wieviel ihr wißt.»

Der Brenner hat nichts mehr gesagt. Seine Brust hat ihm jetzt so weh getan, daß es dem Berti mit seinem verklebten Mund fast noch leichter gefallen wäre, etwas zu sagen.

Aber jetzt hat sowieso zuerst der Rettungsbündler etwas sagen müssen. Es gibt nur drei Möglichkeiten, einen Vierer-Pasch zu überbieten. Entweder mit einem Fünfer-Pasch. Oder mit einem Sechser-Pasch.

«Mäx», hat der Rettungsbündler gesagt.

Manche glauben, «Mäx» kommt von Maximilian. Aber beim Würfeln kommt es natürlich von Maximum. Weil wenn man beim Würfeln 21 hat, dann gibt es nichts Höheres, es ist das absolute Maximum, das hat irgendwer einmal festgelegt, und das gilt heute immer noch. Zuerst die normalen Kombinationen, dann die Doppel-Pasche, dann 21 und dann nichts mehr.

Jetzt Feinheit in der Spielregel, weil das Spiel ist trotzdem noch nicht aus. Und darum sage ich, gute Polizeischulausbildung. Weil Maximum und immer noch nicht chancenlos.

Paß auf, das ist kompliziert: Wenn ein Spieler «Mäx» sagt, gibt es immer noch mehrere Möglichkeiten für den nächsten in der Runde.

Sprich konkret: Entweder der Brenner hebt den Becher, und wenn der Rettungsbündler gelogen hat, dann hat der Rettungsbündler das Spiel verloren.

Oder der Brenner hebt den Becher, und der Rettungsbündler hat wirklich 21, dann hat der Brenner verloren.

Oder Spezialmöglichkeit: Der Brenner schaut nicht unter den Becher, sondern reicht ihn ungesehen an den Watzek weiter. Und der muß dann unter den Becher schauen, ob er will oder nicht.

Und dann immer noch zwei Möglichkeiten. Entweder unter dem Becher liegen wirklich die 21, dann hat der Watzek verloren, weil er den Becher über einer wahren Zahl aufgehoben hat.

Oder, was viel wahrscheinlicher ist, der Rettungsbündler hat gelogen. Dann hat aber nicht der Rettungsbündler verloren, sondern der Mann in der Mitte, also der Brenner, weil er zu feig war, den Becher zu heben, und sich zwischen den Stühlen die Hämorrhoiden verkühlt hat.

So viele Möglichkeiten. Und keine von ihnen ist eingetreten.

Weil der Rettungsbündler ist jetzt aufgestanden und hat den Speisenaufzug gerufen: «Solange ich nicht weiß, wieviel mein Bruder dem Junior erzählt hat, bleibt ihr hier herunten», hat er gesagt. «Der Lift ist der einzige Ausgang. Und den werden wir außer Gefecht setzen. Bis euch etwas zu meiner Frage einfällt.»

Der Brenner hat noch überlegt, ob er dem Stenzl erklären soll, daß sein Bruder gar nicht das Ziel vom Mörder war, daß es in Wahrheit um die Irmi gegangen ist. Aber erstens hätte er ihm das sowieso unmöglich geglaubt. Und zweitens hat der Rettungsbündler ja andere Sorgen gehabt. Ich meine nicht die doppelte Buchführung. Sondern er hat auf einmal überhaupt ganz andere Sorgen gehabt.

Er ist mit dem Rücken zum Aufzug gestanden, wie er mit dem Brenner geredet hat. Deshalb hat er nicht gleich gesehen, was der Brenner schon gesehen hat. Daß der Speisenaufzug nicht leer gewesen ist. Sondern vollgestopft wie die reinste Sardinendose. Mit zwei fetten Watzek-Betonarbeitern.

Der eine hat die Arme mit seinem eigenen Gürtel auf den Rücken gefesselt gehabt, das hat wenigstens nicht so lächerlich ausgesehen. Aber dem anderen waren die Arme mit einem Gürtel ins Kreuz gebunden, auf dem goldene Buchstaben gefunkelt haben: ESCAPADE.

Weil das gibt es natürlich nicht, daß ein fetter Betonarbeiter so ein spitzes Knie hat, daß dir sofort die Rippe knickt. Das Betonarbeiter-Knie hat sich ja im *Golden Heart* oben nur so spitz angefühlt, weil zwischen dem Knie und der Rippe vom Brenner seine *Glock* in der Brusttasche gesteckt ist. Und wenn dir das Knie von einem Hundert-Kilo-Betonarbeiter auf die Pistole drückt, ist so eine Rippe ab wie nichts.

Natürlich haben ihm die Betonarbeiter oben seine *Glock* sofort abgenommen. Das haben sie gut gemacht. Aber sie hätten sie dann nicht einfach im *Golden Heart* herumliegen lassen sollen. Die Betonarbeiter waren ja biedere Schläger, die haben mit einer Pistole nichts am Hut gehabt. Im Grunde ihres Wesens waren das zwei herzensgute Menschen.

Jetzt ist ihnen mit der Pistole in der Hand natürlich sogar die Angelika überlegen gewesen. Die hat zuerst den einen mit vorgehaltener Pistole dazu gezwungen, daß er den anderen fesselt, und dann hat sie den zweiten selber mit ihrem ESCAPADE-Gürtel gefesselt. Weil der hat diese ganz spezielle Schnalle, da bist du ruck, zuck wehrlos.

Während die beiden Betonarbeiter kleinlaut die ganze Geschichte dem Rettungsbündler und dem Watzek erklärt haben, ist schon wieder der Speisenaufzug gegangen.

Und interessant! Im Verhältnis zum fleischigen Betonarbeiter-Knie ist die *Glock* vom Brenner etwas Spitzes, Scharfes, Rippenabdrückendes gewesen. Aber in der feinen Hand von der Angelika hat die Pistole wieder plump und derb gewirkt.

Die Angelika hat dem Brenner seine *Glock* zurückgegeben. Und kaum daß sie die Hände frei gehabt hat, ratsch, hat sie schon mit ihren Fingernägeln dem Berti die Klebebänder von den Gelenken geschnitten.

Der Rettungsbündler hat so verbittert ausgesehen, als hätte man ihm die Lippen vollkommen amputiert. Und ich muß sagen, in der Situation verständlich.

Weil geplant wäre gewesen, daß er und der Watzek sich auf den Weg machen und daß die Betonarbeiter den Speisenaufzug lahmlegen und daß der Brenner und der Berti im Keller über die Frage vom Stenzl nachdenken dürfen.

Und jetzt waren es der Brenner und der Berti, die sich auf die Socken gemacht haben.

Und jetzt war es die Angelika, die oben den Speisenaufzug schachmatt gesetzt hat.

Und jetzt waren es der Rettungsbündler und die Betonmänner, die bis zum nächsten Abend im Keller vom *Golden Heart* gedunstet haben.

12

In letzter Zeit wird oft viel Getue um den Mond gemacht, Mordseinfluß auf das Haareschneiden und auf das Liebesleben und alles. Und daß bei Vollmond mehr Autounfälle passieren, hat man immer schon gewußt.

Aber interessant, daß die Dinge, die man immer schon gewußt hat, immer falsch sind. Weil Statistik und alles beweist: Autounfälle bei Vollmond sogar weniger, weil besseres Licht. Und als Rettungsfahrer hast du dazu nicht einmal eine Statistik gebraucht, da hat die eigene Erfahrung gezeigt, Mond komplett uninteressant. Andere Dinge hast du bei der Häufigkeit der Einsätze sehr wohl gespürt, aber da muß man eben unterscheiden: schwüles Hochdruckwetter ja, Föhnlage ja, Mond nein.

Und die wahren Anheizer sind natürlich noch einmal ganz andere Dinge gewesen. Sprich Urlaubsbeginn, sprich Zeugnisverteilung mit den Schülerselbstmorden, sprich Donauinselfest mit den Alkoholleichen. Das hat mit dem Vollmond gar nichts zu tun.

Aber daß dieses Mal das Donauinselfest ausgerechnet auf Vollmond gefallen ist, natürlich schon doppelt bedrohlich. Weil dann werden die Politiker wieder alles auf den Vollmond schieben.

Und noch etwas hat nichts mit dem Vollmond zu tun gehabt. Daß der Brenner, nachdem ihm die Angelika und der Berti die Rippe verbunden haben und er die beiden dann schlafen geschickt hat, selber nicht schlafen gegangen ist.

«Hallo?» hat sich die Klara erst gemeldet, nachdem er es bestimmt schon zehnmal hat läuten lassen.

«Daß du so spät noch auf bist», hat der Brenner gesagt, quasi Flucht nach vorn.

«Der Simon», hat die Klara aufgeatmet.

«So hat auch schon lang niemand mehr zu mir gesagt», ist dem Brenner herausgerutscht, weil bei der Rettung natürlich nur Nachname, und die Nicole hat ja zu ihm immer Brenni gesagt, furchtbar, aber solche Dinge kommen im Leben vor.

«Hast du deine sentimentale Phase?» Sie hat so richtig herzhaft gegähnt und noch halb im Gähnen gesagt: «Aber ich kann dich trösten. Nach zwei wird es wieder besser. Zwei ist immer der Höhepunkt für die sentimentale Phase.»

«Da scheinst du dich ja auszukennen.»

«Ich hab in letzter Zeit öfter einmal die Nacht durchgemacht.»

Der Brenner hat schon förmlich die sentimentale Phase bei der Klara im Anmarsch gesehen.

Aber statt dessen die Klara ganz unsentimental: «Was willst du denn?»

«Früher, wenn wir gestritten haben, hast du dir immer so einen Haufen auf deine Logik eingebildet.»

«Das war keine Kunst im Vergleich zu dir.»

«Du hast immer gesagt, Musik und Logik, das ist im Hirn dieselbe Stelle.»

Die Klara hat lachen müssen. «Ich glaub, inzwischen sind sie in der Gehirnforschung auch schon wieder ein bißchen weiter. Muß fast so sein, wenn ich mir die logische Entwicklung von meinem Leben so anschau.»

«Jetzt kannst du nicht wieder das Gegenteil behaupten, wo ich deine Logik brauch», hat der Brenner sie festgenagelt.

«Ich hab den Eindruck, du brauchst nur wen zum Reden.»

«Ist Reden und Logik hirnmäßig auch verwandt?»

«Wenn ich mir dich so anhör, eher nicht», hat die Klara gelacht. «Aber komm halt vorbei.»

«Es ist nur – es müßte gleich sein.»

«Du hast es doch noch nie erwarten können», hat ihm die Klara unter die Nase gerieben. Und das war eigentlich ein ungerechter Vorwurf, weil der Brenner an und für sich ein sehr geduldiger Mensch. Oft zu geduldig.

Aber wie er dann unten drei Minuten auf das Taxi warten hat müssen, ist er fast aus der Haut gefahren. Dann ist es aber flott gegangen, weil nie ist in einer Stadt so wenig Verkehr wie um halb drei Uhr früh.

Und Gott sei Dank, muß man sagen. Weil wie der schwarze Ford Mondeo und der rote GTI an dem Taxi vorbeigeflogen sind, hätte es womöglich ein paar Tote gegeben, wenn auch noch Verkehr gewesen wäre.

«Diese Wahnsinnigen!» hat die Taxlerin geflucht. «Die sollen sich den Schädel einschlagen an der nächsten Mauer!»

Das war auch eine Unfallursache, die du als Rettungsfahrer in letzter Zeit besonders gespürt hast. Die Kamikaze-Duelle von den Führerschein-Neulingen. Weil in den letzten Jahren ist diese Mode aufgekommen, daß sich die Führerschein-Neulinge mit ihren auffrisierten Wägen in der Nacht Autorennen auf den öffentlichen Straßen liefern. Ich sage nur Golf GTI und getönte Scheiben und Spoiler und Schürzen und Wunschkennzeichen und Red Bull und, und, und.

«Sonst ist es aber sehr ruhig heute», hat der Brenner versucht, die Taxlerin zu beruhigen. Weil einen Moment hat er gefürchtet, sie verfolgt die beiden Wahnsinnigen.

«Die Nacht vor dem Donauinselfest ist immer ruhig.»

«Die Leute müssen Kraft sammeln für den großen Rausch.» Weil der Brenner immer ein bißchen Psychologe.

«Aber die Kamikaze-Fahrer werden trotzdem jeden Tag mehr», hat die Taxlerin den Kopf geschüttelt.

«Obwohl es schon fast jeden Tag einen aufstellt.»

«Das hilft nichts», hat die Taxlerin resigniert auf ihr Lenkrad geschlagen. «Auf jeden, der krepiert, kommen drei neue nach. Das ist wie bei den Motten, eine kannst du erschlagen, aber die Eier kannst du nicht erschlagen.»

In Döbling, wo die Klara gewohnt hat, war es so ruhig, daß sich der Brenner fast nicht getraut hat, das Gartentor aufzumachen. Diese Hütte zahlt sie aber auch nicht von ihrem Lehrerinnengehalt, hat sich der Brenner noch gedacht, wie sie ihm schon entgegengekommen ist. Weil natürlich, so ein Neid ist fast so schwer totzukriegen wie die ganzen Führerschein-Neulinge.

Die Klara war ganz normal angezogen, also nicht mordsmäßiger Millionärinnen-Hausanzug, wie es vielleicht zu der guten Adresse gepaßt hätte. Sondern so, als wäre sie gerade aus der Schule gekommen. Weil heute dürfen die Lehrer ja auch schon Jeans tragen, und bei der Klara sogar vollkommen zu Recht, weil die hat immer noch eine Spitzenfigur gehabt.

«Heute siehst du ja viel besser aus», hat der Brenner gesagt, und das ist wirklich seine ehrliche Meinung gewesen.

«Halb drei in der Nacht, das ist eben meine Zeit», hat die Klara gelächelt.

Am liebsten hätte der Brenner gleich mit seinem Fall angefangen. Aber natürlich anstandshalber zuerst nach ihrer Krankheit fragen. Und wie es so geht, wenn man etwas eigentlich gar nicht sagen will, dann sagt man es leicht einmal zu schnell. «Was ist bei der Untersuchung herausgekommen?» hat er gefragt, bevor er richtig bei der Tür drinnen war.

Die Klara hat ihm einmal in Ruhe einen Platz in ihrem Wohnzimmer angeboten, und dann hat sie gesagt: «Vor einem halben Jahr, bei der ersten Untersuchung hat der Doktor gesagt, meine Chance ist fifty-fifty.»

«Englisch noch dazu.»

«Ja, heute reden die Ärzte nicht mehr lateinisch. Aber er hat eh auf deutsch gesagt: 50 Prozent. Ich hab mir nur gedacht, fifty-fifty klingt besser.»

«Fifty-fifty, wie zwei Gauner, die nach einem Banküberfall fifty-fifty machen.»

«Genau. Als ob man auf jeden Fall etwas zu gewinnen hätte. Wenn man krank ist, muß man ja dauernd die Gesunden trösten, daß man ihnen den Schock zumutet.»

«Wem sagst du das. Die Kranken müssen sogar die Rettungsfahrer trösten.»

«Möchtest du was trinken?»

«Ich möchte wissen, was der Doktor dieses Mal gesagt hat, nicht vor einem halben Jahr.»

«Vielleicht einen Whisky?»

«Unglaublich, daß ausgerechnet die Doktoren alle soviel saufen», hat der Brenner sie absichtlich mißverstanden, damit sie endlich mit der Sprache herausrückt.

«Neunzig Prozent», hat die Klara gestrahlt.

«Neunzigprozentiger Whisky?»

«Heilungschance.»

«Dann wird's nichts mit St. Erben», hat der Brenner schnell gesagt. Er hat jetzt auch ohne Whisky ein paarmal ordentlich schlucken müssen, bis er wieder etwas herausgebracht hat. «Das mit zwei Uhr früh stimmt aber nicht.»

«Was mit zwei Uhr früh?»

«Weil du am Telefon gesagt hast, daß es ab zwei wieder besser wird mit der sentimentalen Phase.»

«Es wird nur langsam besser. Nicht hauruckartig, wie ihr Männer euch immer alles vorstellt.»

«Ach so.»

«Und jetzt rück heraus mit der Sprache. Wieso bist du gekommen?»

«Ich hab eine detektivischen Rückfall bekommen. Einen Mord. Und ich stehe einen Millimeter vor der Lösung und sehe sie nicht.»

«Vielleicht mußt du einen Schritt zurücktreten, damit du sie siehst.» Die Klara hat spöttisch gelacht: «Ich hör mich sicher an wie eine alte Lehrerin.»

«Zurücktreten ist leicht gesagt. Zurücktreten kannst du nur, wenn du weißt, wo hinten und vorn ist.»

«Am besten, du erzählst es mir einfach, und dann löse ich alles ruck, zuck auf.»

«Ja, so ungefähr hab ich es mir vorgestellt.»

Der Brenner hat ihr dann erzählt, wie der Bimbo mit seiner Goldkette erwürgt worden ist. Und die Geschichte mit dem Bimbo und der Angelika Lanz im Kellerstüberl, einen Tag vor dem Mord. Und wie die Polizei den alten Lanz verhaftet hat.

«Das kann man ja verstehen», hat die Klara gefunden.

«Was kann man verstehen?»

«Daß sie den verdächtigen.»

«Und was kann man nicht verstehen?»

«Daß du dich darum kümmerst.»

Dann hat ihr der Brenner erzählt, wie ihn der Junior nach dem Vorfall mit dem Sandler beauftragt hat, herauszufinden, ob der Rettungsbund ihren Funk abhört. Und er hat ihr erzählt, daß der Junior angedeutet hat, der Brenner wäre schuld an dem Mord am Bimbo. Daß die Rettungsbündler sich womöglich mit dem Bimbo-Mord für seine plumpe Schnüffelei gerächt hätten.

«Da müßte der Rettungsbund aber viel Dreck am Stecken haben, daß sie gleich so brutal zurückschlagen», hat die Klara gleich Spaß am Gescheitsein gekriegt.

Und jetzt ist der Brenner erst mit der Geschichte herausgerückt, daß der Bruder vom Rettungsbund-Chef zwei Wochen vorher erschossen worden ist. Und daß seine Freundin dabei gleich mit erschossen worden ist. Und daß ausgerechnet der Bimbo Zeuge der Tat gewesen ist.

«Jetzt wird's kompliziert», hat die Klara gesagt.

«Da fängt es erst an. Weil während ich mich für den Funk

vom Rettungsbund interessiert habe, hat mich der Rettungsbund-Chef verdächtigt, ich wäre wegen der Steuern hinter ihm her. Und die Kripo verdächtigt ihn, daß er hinter den Morden an seinem Bruder und dem Bimbo steckt.»

Und dann ist der Brenner erst mit der Geschichte herausgerückt, die ihm vor ein paar Stunden die Angelika erzählt hat. Daß die versehentlich erschossene Irmi die Freundin vom Lungauer war, dem ausgerechnet der Bimbo versehentlich ins Aug gestochen hat.

«Schon wieder versehentlich», hat die Klara gesagt.

«Die Irmi versehentlich und ihr Freund versehentlich.»

«Du meinst, zweimal versehentlich gibt einmal absichtlich?»

Der Brenner hat mit den Schultern gezuckt. «Du bist die Logikerin von uns beiden.»

«Also, rein logisch betrachtet, gibt zweimal versehentlich nicht unbedingt einmal absichtlich. Aber rein gefühlsmäßig betrachtet …»

«Kannst du dir vorstellen», hat der Brenner ihr gefühlsmäßiges Schweigen unterbrochen, «daß die Kugel eigentlich dem Opfer gegolten hat, das scheinbar versehentlich erschossen worden ist?»

«Daß der Stenzl nur den Schädel hinhalten hat müssen, um die Spur zu verwischen? Aber was würde das dann heißen?»

«Eben. Das frag ich dich. Du weißt ja, daß ich mich immer ein bißchen schwer getan hab mit der Konzentriererei.»

«Magst du einen Kaffee?»

Weil alter Aberglaube, daß Kaffee gut für die Konzentration ist. Und dabei ist das Gegenteil wahr, das kann ich dir schriftlich geben.

Aber die Wahrheit ist eben nie so einfach, das ist wieder eine andere wichtige Regel. Oft kommen Leute und machen sich beliebt, indem sie behaupten, die Wahrheit wäre einfach. Aber die Wahrheit ist kompliziert, merk dir das.

In puncto Kaffee ist es zum Beispiel wahr, daß das Kaffeetrinken für die Konzentration tödlich ist. Aber das Kaffeemachen ist wieder hervorragend für die Konzentration. Beim Kaffeemachen hat man so seine kleinen Handgriffe, und das ist die beste Konzentrationshilfe, die es auf dieser Welt überhaupt gibt. Und ohne Kaffeetrinken natürlich im Normalfall kein Kaffeemachen, siehst du, das ist die Wahrheit.

Jetzt, nicht daß du glaubst, der Klara ist beim Kaffeemachen die Wahrheit eingefallen, praktisch Wiedersehensgeschenk für den Brenner, oder zur Feier der neunzigprozentigen Heilungschance: ein Täter.

Aber wie sie so in der Küche gestanden sind und die Klara die Kaffeemaschine auf Trab gebracht hat, sagt sie auf einmal: «Was pfeifst du denn da?»

«Pfeife ich?»

Sie hat den Brenner so angelächelt, daß er dieses bestimmte Gänsehautgefühl bekommen hat, das man ab einem bestimmten Mannesalter eigentlich als unangenehm empfindet, weil Gefühl und alles. Und dann hat sie gesagt: «Du hast also immer noch diese Gewohnheit. Man braucht nur an den Text denken, der zu deinem Gepfeife gehört, und schon weiß man, wo dich der Schuh drückt.»

«Hab ich das in Puntigam auch schon gehabt?»

Die Klara hat die Lippen gespitzt. Der Brenner hat schon geglaubt, sie will ihm so einen herablassenden Abgeklärte-Frauen-Kuß auf die Wange geben. Aber sie hat nur gepfiffen.

«Was pfeifst du da?» hat er gefragt. Er hat es zuerst nicht erkannt, weil sie hat die Melodie natürlich so richtig gepfiffen, daß sie vor lauter richtig fast nicht zum Wiedererkennen war.

Und jetzt hat die Klara mit ihrer Stimme, die von den Medikamenten ein bißchen angegriffen war, leise gesungen: «Komm, sühüßes Kreuz.»

«Komm, süßer Tod», hat der Brenner sie korrigiert.

Aber die Klara hat eine Kassette geholt und es ihm vorgespielt, und natürlich: Komm, süßes Kreuz. Da hat der Brenner in seiner Jugend doch zuviel Jimi Hendrix und zu wenig Matthäuspassion gehorcht.

«Du hast mir das einmal auf eine Kassette aufgenommen.»

«Ich weiß», hat die Klara gelächelt.

«Und seit ich dich wiedergesehen habe, geht mir die Melodie nicht mehr aus dem Kopf. Ich hab sogar die Kassette bei mir überall gesucht, so hast du mich erschreckt mit deiner Krankheit.»

«Da hättest du lange suchen können», hat die Klara gegrinst. «Das ist nämlich die Kassette», hat sie auf die Anlage gedeutet.

Weil oft legt man sich im Leben gewisse Dinge ein bißchen zurecht, damit sie nicht so schmerzlich sind wie die ungeschminkte Wahrheit. Das ist eigentlich nur menschlich, einziges Problem: Man fängt mit der Zeit an, wirklich an die geschminkte Version zu glauben.

Aber jetzt ist es dem Brenner natürlich wieder eingefallen, nach fast drei Jahrzehnten. Daß er die Klara damals nicht wegen der Miss Busen verlassen hat. Sondern daß die Klara ihn hinausgeworfen hat, nachdem er die Kassette mit ihrer eigenen Choraufnahme, die sie in wochenlanger Kleinarbeit für ihn zusammengestellt hat, zum drittenmal bei ihr in der Wohnung vergessen hat.

Weil für den Brenner ist ja der Bach-Wahn von der Klara immer ein bißchen ein Vorwand gewesen, praktisch: Gehen wir ins Zimmer, Matthäuspassion horchen.

«Das ist übrigens gar nicht die Original-Matthäuspassion», hat die Klara erklärt. «Wir haben damals natürlich nur Ausschnitte gesungen. Dafür haben wir bei ‹Haupt voll Blut und Wunden› alle Strophen von dem Barockgedicht gesungen, die in der Matthäuspassion gar nicht vorkommen.»

Das hat den Brenner jetzt weniger interessiert. Andererseits, großzügig von der Klara, daß sie so elegant von der peinlichen Geschichte ablenkt.

Wie der Kaffee fertig war, hat der Brenner gesagt: «Dein Bach wird mir auch nicht helfen, daß ich den Mörder finde. Und ich habe nur noch ungefähr vierzehn Stunden Zeit. Weil dann werden sie den Rettungsbündler im Keller vom *Golden Heart* finden, und dann kann ich froh sein, wenn sie mich nicht eigenhändig totschlagen.»

«Weißt du, auf was ich durch meine Krankheit gekommen bin?»

«Und ich hab geglaubt, du bist endlich einmal jemand, der nicht durch seine Krankheit auf was gekommen ist», hat der Brenner ein bißchen grob getan. «Du wirst es nicht glauben. Als Rettungsfahrer triffst du praktisch nur Philosophen, die auf irgendwas gekommen sind. Wieso fängt nicht einmal einer zum Denken an, solange er noch gesund ist?»

«Ich hab geglaubt, du bist es, der hier einen Mörder finden will», hat ihn die Klara auf den Boden zurückgeholt.

Sie hat ihnen zwei Tassen eingeschenkt, und damit sind sie wieder ins Wohnzimmer hinüber.

«Wie der Arzt mir das mit den 50 Prozent gesagt hat, da hab ich viel über diese Zahl nachgedacht. 50 Prozent. Die Hälfte. Eigentlich ganz einfach. Mir ist dabei wieder ein Spiel eingefallen, das ich mir als Studentin einmal ausgedacht habe.»

«Das hast du dir schon in der Schule ausgedacht. Wie ist das gegangen? Man täuscht sich im Leben öfter als 50 Prozent oder so?»

«Du hast recht, es muß wirklich schon im Gymnasium gewesen sein. Solche Gedanken hat man eigentlich nur in der Pubertät.»

«Oder wenn man um drei in der Früh in die Pubertät zurückfällt.»

«Damals ist es mir oft so gegangen, daß gerade die Leute, die mir am Anfang recht unsympathisch waren, später meine besten Freunde geworden sind. Und andere, die mir auf Anhieb gefallen haben –»

«Da frag ich jetzt lieber nicht, unter welche Kategorie ich gefallen bin.»

«Ich war damals überzeugt», hat sie seinen Einwand ignoriert, «daß sich unterm Strich mehr als 50 Prozent der eigenen Entscheidungen als falsch herausstellen. Und wenn es nur 51 Prozent wären, dann wäre es klüger, daß man grundsätzlich immer das Gegenteil von dem tut, was einem sinnvoll erscheint.»

«Und warum hast du dich nicht daran gehalten?»

«Eben deshalb. Das war schon die erste einleuchtende Entscheidung, an die ich mich nicht halten durfte, wenn ich mich daran halten wollte.»

«Da wird's kompliziert.»

«Jaja. Das Leben läßt sich nicht austricksen. Man muß durch den ganzen Mist durch.»

Siehst du, ein paar Schluck Kaffee getrunken, und schon ist die ganze Konzentration beim Teufel. Der Brenner und die Klara haben zwar noch ein bißchen gespielt mit der 50-Prozent-Theorie, Anwendung auf den Mordfall und überall das sinnloseste Gegenteil annehmen. Aber viel weiter als zu der Annahme, daß sich der Stenzl in einer akrobatischen Aktion selbst die Kugel ins Genick gepfeffert hat, sind sie dabei auch nicht gekommen.

Wie der Brenner sich dann auf den Weg gemacht hat, hat die Klara gesagt: «Es dämmert schon.»

«Schön wär's», hat der Brenner gemurrt.

Zum Abschied hat sie ihm doch noch diesen herablassenden Erfahrene-Frauen-Kuß auf die Wange gegeben. Daß sie ihm dabei ein bißchen auf die Rippe gedrückt hat, hat dem Brenner wenigstens geholfen, daß er nicht sentimental wird.

Ihr Abschiedswort hätte sie sich allerdings ruhig sparen können, wenn es nach dem Brenner gegangen wäre: «Wo ist eigentlich dein netter Jason-King-Schnurrbart geblieben?»

Und sei ehrlich, möchtest du vielleicht nach so vielen Jahren noch an einen blonden Jason-King-Schnurrbart erinnert werden? Weil ich muß ganz ehrlich sagen, mit dem hätte er sogar seine Kreuzrettungskollegen beeindrucken können. Aber Schwamm drüber, ich sage, nach dreißig Jahren muß sogar ein blonder Jason-King-Schnurrbart verjährt sein.

Er ist zu Fuß heimgegangen, fast eine Stunde lang. Er hat gespürt, daß er sowieso nicht schlafen könnte. Und so ein Heimweg in der Morgendämmerung hat ja auch einiges für sich.

«Schön wär's», hat er halb zu sich selber, halb zum verblassenden Vollmond gesagt.

Aber bevor es dem Brenner gedämmert hat, haben noch zwei Menschen sterben müssen.

Wien ist ja eine Stadt, von der es oft heißt, daß man hier besonders gut sterben kann. Das ist schon möglich, ich persönlich finde aber, daß man in Wien auch besonders gut spazierengehen kann. Besonders in den Stadtteilen, die ein bißchen hügelig sind, da belastet man einmal mehr diesen Muskel, dann wieder einen anderen, und da wird man nicht so schnell müde wie im Flachen.

Und dem Brenner ist es jetzt um halb fünf Uhr früh natürlich auch angenehm gewesen, daß die Döblinger Hauptstraße so schön bergab gegangen ist. Fast ist ihm vorgekommen, daß die prächtigen Herrschaftshäuser von selber an ihm vorbeispazieren, und er hat sich ein bißchen gewundert, daß in diesem guten Klima so böse Menschen wie die Frau Rupprechter wachsen.

Nach einer Dreiviertelstunde ist er in seiner Wohnung angekommen, die Beine haben ihm weh getan, der Kopf hat ihm weh getan, und die Rippe hat ihm weh getan.

Er hätte sich gern geduscht, aber mit dem Brustverband hat er es gleich wieder aufgegeben. Nur ein bißchen gewaschen, dann gefrühstückt, und wie er sich um sieben in den Bereitschaftsraum gesetzt hat, ist es ihm ganz normal vorgekommen, daß sofort die Alarmglocke gegangen ist.

Und ich weiß auch nicht, wie das menschliche Hirn hier funktioniert, ob wirklich der Kontakt mit verwandten Elementen so eine steigernde Wirkung hat. So wie es ja auch immer wieder heißt, daß man die Boxer mit Stierblut dopt und die Langstreckenläufer mit Rentierblut. Oder ob das auch nur so eine Vollmond-Theorie ist. Jedenfalls:

Zwei achtzehnjährige Kamikaze-Rennfahrer mit den Wunschkennzeichen Pole 1 und Elvis 1 haben sich am Gürtel mitten im dreispurigen Berufsverkehr ein Duell vom Westbahnhof zur Schlachthausgasse geliefert. Der schwarze Audi Quattro ist aber genausowenig bei der Schlachthausgasse angekommen wie der rote Alfa. Weil zuerst ist der Audi Quattro mit dem Kennzeichen Elvis 1 am Gaudenzdorfer Gürtel ausgerutscht und dann der rote Alfa volle Wäsche in den Quattro hinein.

Aber daß es so was gibt! Wie der Brenner das Hirn von den beiden Achtzehnjährigen von der Mittelleitschiene geputzt hat, hat sich auf einmal in seinem eigenen Hirn etwas gerührt.

13

Der Tod ist vielleicht groß. Aber Wien ist auch groß. Wenn du mit der Fünfer vom Westbahnhof zum Nordbahnhof fährst, bist du fast eine Stunde unterwegs. Und da bist du noch lange nicht draußen in der Bronx. Noch lange nicht in der Großfeld- oder in der Trabrennsiedlung oder am Schöpfwerk draußen, wo sie immer die Vergewaltiger haben und die Jugendbanden und die Zeitungsleute.

Und da liest man dann in der Zeitung, wie gefährlich es am Schöpfwerk ist, weil das Crack, oder wie der Dreck heißt, die Leute so aggressiv macht, daß sie dir den Kopf abschneiden. Aber niemand schreibt über die tiefere Ursache. Niemand schreibt über die Burenwurst. Weil die Burenwurst macht so aggressiv, das glaubst du nicht. Käsekrainer, Zigeuner, Cabanossi machen auch aggressiv, aber im Grunde genommen macht nichts so aggressiv wie die heiße Burenwurst, außer natürlich der heiße Leberkäse.

Als Rettungsfahrer kannst du das oft erleben, daß du nach einer Schlägerei die Beteiligten einliefern mußt und sie kotzen dir das Auto voll. Und zu 80 Prozent kannst du dir sicher sein, daß du dann irgendwas vom Würstelstand dabeihast, meistens eine Burenwurst. Ich weiß nicht, liegt es am Fett oder liegt es an den Zusätzen. Daß sie womöglich ein Pulver hineinmischen, das den Menschen aggressiv macht.

Sonst würde ich sagen, vielleicht von den verrückten Kühen drüben. Aber Kuhfleisch ist ja keines drinnen in der Burenwurst. Überhaupt kein Fleisch eigentlich. Jedenfalls hat das der Großvater vom Brenner in seinen letzten Lebensjahren immer gesagt: Heute ist überhaupt kein Fleisch mehr drinnen, nur mehr Sägespäne.

Und da hat jetzt der Brenner auf seine alten Tage erleben müssen, daß sein Großvater damals unrecht gehabt hat. Weil wenn sie ihm in das Rettungsauto gekotzt haben, dann hat es nicht nach Sägespänen gerochen.

Aber ich will auf ganz etwas anderes hinaus. Ich sage: Der Tod ist groß, und Wien ist auch groß. Und das stimmt auch. Aber die Welt ist klein! Weil der Herr Oswald hat in Alt Erlaa gewohnt, und der Lungauer hat auch in Alt Erlaa gewohnt. Und das ist zwar auch so eine Satellitensiedlung, aber nicht Schöpfwerk und nicht Großfeldsiedlung, sondern im Gegenteil: Edelsatellit. Mittelstandssatellit. Acht Hochhaustürme und so viele Bewohner wie ganz Eisenstadt. Mit Schwimmbädern auf den Dächern und Kindergärten und alles.

Aber der Lungauer und der Herr Oswald haben sich bestimmt nicht aus dem Kindergarten gekannt. Erstens ist Alt Erlaa damals noch gar nicht gestanden. Zweitens hat der Lungauer überhaupt erst seit dem Unfall hier bei seiner Mutter gewohnt. Und außerdem war er erst achtunddreißig Jahre alt, also er hätte schon rein altersmäßig nie mit dem Herrn Oswald in den Kindergarten gehen können.

Jetzt, warum sage ich dauernd Kindergarten. Der Lungauer ist eineinhalb Jahre nach seinem Unfall so hilflos wie ein kleines Kind gewesen. Er ist in seinem Rollstuhl gesessen, ganz zusammengesunken, daß der Brenner gleich gesehen hat: Sogar das Sitzen ist ihm eigentlich zuviel.

Er war so dürr wie diese Fotomodelle, mit denen du heute Millionen verdienen kannst. Ich sage ja immer, eine Frau darf ruhig ein bißchen gepolstert sein. Aber natürlich, für einen Modefotografen ist das Teuerste der Film, der spult und knipst und spult und knipst, und am Abend hat er ein paar hundert Meter Film verschossen, das kostet ein Vermögen. Und da kannst du mit einem dünnen Fotomodell natürlich viel Film sparen.

Aber Fotomodell ist doch noch einmal was anderes als die erbärmliche Gestalt vom Lungauer. Wie der, nur noch Haut und Knochen, in seinem Rollstuhl gehängt ist. Und dabei hat man noch froh sein müssen, daß er sowenig gewogen hat, weil sonst hätte er seinen Oberkörper gar nicht mehr aufrecht halten können.

Seine fettigen Haare sind über den Kragen von seinem neuen Jogginganzug gehängt, und wie er so dagesessen ist, hat der Brenner an diesen bekannten Weltallforscher denken müssen. Ich habe mir das Buch auch gekauft, und ich muß sagen, weit bin ich nicht gekommen, aber schon hochinteressant mit den schwarzen Löchern und alles.

Die Mutter vom Lungauer hat den Brenner zu ihrem Sohn hingeführt und ihn vorgestellt. Dabei hat sie so laut und deutlich geredet, wie man eben mit jemandem spricht, der nicht ganz da ist. «Das ist der Herr Brenner! Ein neuer Kollege von dir! Bei der Rettung!»

«Grüß Gott», hat der Brenner gesagt.

Interessant! Normalerweise hat der Brenner nie «grüß Gott» gesagt. Immer «guten Tag». Das hat er sich mit fünfzehn oder sechzehn Jahren in einer Puntigamer Trotzphase angewöhnt, und seither nur mehr «guten Tag». Und jetzt sagt er auf einmal zum erstenmal seit dreißig Jahren «grüß Gott».

Da sieht man, wie weit es her ist mit dem Trotz. Kaum daß der liebe Gott ein bißchen die Rute ins Fenster stellt, ein bißchen die Querschnittlähmung heraushängen läßt, ein bißchen herüberzwinkert: Da, schau her, so ein gottverdammter Krüppel könntest du auch sein, schon spült es dir wieder das «Grüß Gott» herauf wie einem besoffenen Schläger die Burenwurst.

Man möchte zwar glauben, in den vergangenen Monaten bei der Rettung hätte der Brenner genug Krankheit und Elend gesehen, daß ihn so ein Anblick nicht mehr schockieren kann. Aber nichts da. Solange du der Fahrer bist und der andere der Krüppel, schreckt es dich nicht richtig. Aber wenn natürlich der arme Hund dein eigener Kollege ist, wieder vollkommen andere Situation. Und so ist eben dem Brenner das «Grüß Gott» herausgerutscht. Ich finde, so schlimm ist es auch wieder nicht.

Daß der Lungauer darauf nichts erwidert hat, hat den Brenner nicht gewundert. Weil er hat nicht ausgesehen wie jemand, der überhaupt noch reden kann, da hat der Brenner der Angelika recht geben müssen. Der Kopf ist seitlich auf seiner rechten Schulter gelegen, und ein dünner Speichelfaden ist ununterbrochen aus seinem Mundwinkel gelaufen. Das eine Aug kaputt, das andere um so starrer. Da ist man trotz der Katheterflasche, die seitlich am Rollstuhl gehängt ist, nicht auf die Idee verfallen, daß hier gerade ein Spitzensportler seine Dopingprobe abgibt.

Aber wie sich der Brenner schon wieder der Mutter zuwenden will, bemerkt er, daß der Lungauer ganz langsam, Zentimeter für Zentimeter seinen rechten Arm hebt und nach einer Ewigkeit dem Brenner die Hand hinstreckt.

«Wenn ich ihn treffe», hat der Lungauer stockend herausgewürgt. Es ist nicht leicht zu verstehen gewesen. Der Brenner hat ein paar Sekunden gebraucht, bis er sich die Laute zusammengesucht hat. Aber dann natürlich: Wenn ich ihn treffe!

Der Lungauer hat gar nicht so undeutlich gesprochen. Es war nur, daß der Brenner es nicht hat wahrhaben wollen, daß der Behinderte ihn auf die Schaufel nimmt. Daß einer, der wirklich gute Chancen hat, den lieben Gott bald einmal zu treffen, sich über das feige «Grüß Gott» von einem Gesunden lustig macht.

Aber es ist schon wahr: Man muß ein kerngesunder Mensch sein, damit man so ein richtiger Feigling sein kann. Obwohl ich da zur Verteidigung vom Brenner sagen muß: Der Lungauer hat den Vorteil gehabt, daß er die ganze Zeit behindert war, und für den Brenner war es doch eine neue Situation, auf die er sich erst hat einstellen müssen.

«Der Herr Brenner ist gekommen wegen der Irmi!» hat die Mutter ihrem Sohn wieder laut und deutlich auseinandergelegt.

«Weiß ich schon.»

«Sie wissen, was passiert ist?» hat der Brenner ihn gefragt, nicht so laut wie die Mutter, aber doch viel lauter, als er sonst geredet hat.

Der Lungauer hat ein bißchen den Kopf auf der Schulter hin und her geruckt, weil das ist seine Art von Nicken gewesen, und dann hat er gesagt: «Aus dem Lampenschirm.»

«Fernseher», hat die Mutter geflüstert. «Die Leute glauben, daß er geistig behindert ist», hat sie hastig gezischt, als hätte sie die Hoffnung: Wenn ich schnell rede, versteht er mich nicht. «Die Ärzte haben aber gesagt, er ist geistig nicht behindert. Er ist vollkommen normal. Er kriegt alles mit. Wie vor dem Unfall. Nur das Sprachzentrum in seinem Gehirn ist beschädigt worden. Der Doktor hat es mir auf einem Röntgenbild gezeigt, wo der Schraubenzieher sein Sprachzentrum zerstört hat. Aber es ist nicht geistig. Es ist nur – es hat einen eigenen Namen.»

«Aphasie», hat der Behinderte im Rollstuhl genuschelt.

«Sehen Sie, er kriegt alles mit», hat die Mutter geseufzt, als wäre es ihr gar nicht recht. «Er versteht es sogar besser als ich. Aphasie. Wissen Sie, was das ist?»

«Ich hab einmal einen Epileptiker gefahren. Der hat das auch gehabt», hat sich der Brenner erinnert. «Er hat immer Kranfahrer zu mir gesagt. Ich glaube, weil Kräne gelb sind, und die Rettungsautos früher auch gelb waren.»

«Er verwechselt nur die Wörter», hat die Mutter nervös genickt. «Aber er denkt ganz normal. Nur die Wörter vertauscht er.»

Der Lungauer hat den beiden interessiert zugeschaut, wie sie ihre Wörter ausgetauscht haben. Sein gesundes Aug ist hin und her gewandert, immer zu dem, der gerade gesprochen hat. Dem Brenner ist vorgekommen, als wäre das gesunde Aug zum Ausgleich doppelt so groß geworden.

Wie der Brenner damals in die Polizeischule gegangen ist, hat es noch keine Videospiele gegeben, aber in den Spielhallen schon erste Video-Gehversuche. Und das Aug vom Lungauer hat ihn jetzt auf einmal an dieses Spiel erinnert, wo man mit einem weißen Punkt Tennis spielen hat können. Ein paar Monate lang ist er damals fast jeden Tag mit dem Irrsiegler Automatentennis spielen gegangen. Wenn man den Ball getroffen hat, hat es ein gewisses Geräusch gemacht, und wenn man ihn verfehlt hat, auch ein gewisses Geräusch. Der Irrsiegler ist später mit dem Motorrad verunglückt, und dann hat es sich mit dem Tennis automatisch aufgehört.

Wie der Brenner wieder aus der Hypnose von dem Lungauer-Aug erwacht ist, hat er ihn nach der Irmi gefragt.

«Sie ist mein Mantel gewesen.»

«Er meint: seine Freundin», hat die Mutter übersetzt, und der Brenner hätte sie fast gebeten, daß sie ihn kurz mit ihrem Sohn allein läßt. «Wahrscheinlich sagt er Mantel, weil sie immer diesen weißen Krankenschwesternmantel angehabt hat.»

«Oder weil er sich beschützt gefühlt hat», hat der Brenner gesagt. «Oder weil sie seine Kragenweite gewesen ist», hat er ein bißchen patzig nachgeschoben. «Oder weil sie ihn gewärmt hat. Oder weil ihm erst bei ihr der Knopf aufgegangen ist. Oder weil er als Bub einen Kamelhaarmantel gehabt hat und die Irmi so hübsche Höcker.»

»Hahahahahaha!» hat es den querschnittgelähmten Lungauer fast aus dem Rollstuhl geschüttelt. Sein Gesicht ist die ganze Zeit so nach unten gehängt, daß er aus dem Winkel unmöglich viel von seiner Mutter sehen hat können. Aber er wird es schon gespürt haben, wie pikiert sie über die Äußerung vom Brenner geschaut hat.

Der Lungauer hat so gestrahlt, eigentlich unglaublich, daß man mit einem Aug so übers ganze Gesicht strahlen kann. Aber auf einmal hat er ganz herrisch mit der Stimme aufgestampft: «Zimmer!»

«Aber solange der Herr Brenner noch da ist, mußt du uns schon Gesellschaft leisten.»

«Auch Zimmerbrenner!»

«Aber der Herr Brenner will sich doch noch mit mir unterhalten.»

«Will sich mit mir unterhalten.»

«Er will in seinem Zimmer mit Ihnen reden», hat sie dem Brenner übersetzt, als würde sie ihn auch für ein bißchen geistig behindert halten.

Ich weiß nicht, wieso ihr das so unangenehm war. Noch dazu, wo man im Zimmer vom Lungauer eine Aussicht gehabt hat, unglaublich, daß es so was geben kann. Dem Brenner ist erst jetzt richtig bewußt geworden, daß er hier im 23. Stock ist. Der Stephansdom, das Riesenrad, der Donauturm, das UNO-Gebäude sind kilometerweit entfernt gewesen, aber man hat den Eindruck gehabt, daß man direkt hingreifen kann. Ganz links hat man sogar die AKH-Türme gesehen. Und einen von den Flak-Türmen, die sie im Krieg hingestellt haben, und dann sind die schwarzen Monster nicht mehr weggegangen. Aber am auffälligsten war, daß es in ganz Wien fast kein Haus mehr gegeben hat ohne diese bunten Flecken drauf.

«Der Hundertwasser muß auch überall hinbrunzen», hat der Brenner gesagt.

«Hahahahahaha!»

Dem Brenner hat es einen Stich in die Rippe gegeben, so ansteckend ist das Gelächter von dem einäugigen Humorkönig gewesen. Beim Lachen lernst du ja die Leute am besten kennen. Weil ein gemeiner Mensch kann sich noch so gut verstellen, aber wenn du ihn zum Lachen bringst, lacht er gemein. Und ein Dummer lacht dumm. Und ein Verklemmter lacht verklemmt. Und ein Zyniker zynisch und ein Komplexler komplexlerisch, du siehst schon, da kann man alles durchprobieren, das stimmt einfach immer.

Aber ganz selten, daß du einen so lachen hörst wie den Lungauer. Praktisch das genaue Gegenteil von diesen Menschen, die überhaupt nichts zu lachen haben. Weil sie sind schön und gesund und gut angezogen und haben einen Haufen Geld und arbeiten bei einer Filmfirma oder Mediensache oder Architektur. Aber innerlich sind sie so leer, daß sie nur den Mund aufmachen müssen, und schon gibt es ein paar Tote wegen der Vakuum-Implosion, das ist meine Meinung!

«Zuerst habe ich geglaubt, daß Sie für den Junior arbeiten», hat der Lungauer auf einmal ganz ernst gesagt.

«Das stimmt schon.» Der Brenner hat sich aber nur dumm gestellt. Er hat schon bemerkt, daß der Lungauer nicht darauf hinaus will, daß er als Fahrer für den Junior arbeitet.

«Sie sind doch ein Hund, oder?»

«Ein Schnüffler – ja.» Weil wenn du eine Zeitlang mit so einem Wörterverdreher zusammen bist, dann verstehst du ihn immer besser, das geht schneller, als man glauben möchte. Und wenn du dann noch ein bißchen länger mit ihm zusammen bist, fängst du selber mit dem Wörterverdrehen an. Aber der Brenner jetzt noch ohne Probleme: «Erinnern Sie sich an den Lanz?»

«Der Vater von der Angelika.»

«Er ist verhaftet worden.»

«Weiß ich.»

«Aber seine Tochter glaubt, daß er es nicht gewesen ist.»

«Ist er auch nicht.»

«Wie bitte?»

«Der Lanz hat den Groß nicht umgebracht.»

Hat es sich der Brenner nur eingebildet, oder hat der Lungauer jetzt wirklich ein bißchen flüssiger geredet?

«Ich habe vor zwölf Jahren bei den Kreuzrettern angefangen. Damals waren wir dreimal so groß wie die Rettungsbündler. Da ist der Alte noch gewesen. Dann ist der Rettungsbund auf einmal so schnell gewachsen, daß er uns fast eingeholt hat.»

Für jeden Satz hat der Lungauer eine Ewigkeit gebraucht. Und wenn es sonst auch oft furchtbar mit dem Brenner ist, dann muß ich hier doch sagen, da hat er wieder das richtige Tempo gehabt, um dem Kranken in Ruhe zuzuhören.

«Der Rettungsbund hat nach dem Tod vom Alten die besseren politischen Kontakte gehabt. Er hat die Betonfirma als Sponsor aufgerissen, die dafür im Gegenzug ihre Bauaufträge von der Stadt bekommen hat. Aber wir haben immer noch die besseren Spender gehabt.»

Dem Brenner ist fast schwindlig geworden, wie er die dreiundzwanzig Stockwerke hinunter direkt auf die Straße geschaut hat, während der Lungauer weitergeredet hat.

«Kinderlose Leute wissen nicht, wohin mit dem Geld nach ihrem Tod. Die meisten vererben alles der Kirche. Wollen sich einen Platz im Himmel sichern. Aber manche setzen auch uns als Erben ein. Das hat uns eine Zeitlang noch vor dem Rettungsbund gehalten. Andererseits, die moderne Medizin. Dadurch werden die Leute immer älter. So haben wir immer weniger große Spenden bekommen. Weil die Leute nicht gestorben sind.»

Ich bin doch immer schwindelfrei gewesen, hat sich der Brenner überlegt. Aber die zittrigen Knie, die er jetzt langsam gekriegt hat, haben nichts mit dem 23. Stock zu tun gehabt. Sondern horch zu, was ihm der Lungauer in der nächsten halben Stunde erzählt hat. Ein Gesunder hätte dafür vielleicht nur fünf Minuten gebraucht. Aber der Brenner war froh, daß es nicht so schnell gegangen ist. Es war so immer noch schwer genug zu verdauen:

Wie der Junior ein Krisenteam gebildet hat mit dem Lungauer und dem Bimbo. Wie der Bimbo und der Lungauer immer so eingeteilt worden sind, daß sie die reichen alten Damen chauffiert haben. Wie sie sich ein Vorbild am Czerny genommen haben, der einer Witwe ihre Villa abgeluchst hat. Aber im Gegensatz zum Czerny nicht zur persönlichen Bereicherung, sondern alles nur für den Verein.

«Aber das hat leider nur manchmal funktioniert», hat der Lungauer herausgewürgt. «Da hast du zehn Damen den Hof gemacht, und eine ist vielleicht auf die Idee gekommen, daß sie uns was vererben könnte. Und der Rettungsbund ist trotzdem immer noch schneller gewachsen. Weil natürlich hat der Rettungsbund auch seine Damenbetreuung gehabt. Jetzt hat der Junior den Verdacht gekriegt, daß der Rettungsbund in seiner Damenbetreuung konsequenter ist.»

Der Brenner hat sich gefragt, wieso der Lungauer jetzt auf einmal keine Wörter mehr verwechselt hat. Bei seiner Schilderung der alten Damen, die oft ihr Vermögen der Rettung nur deshalb nicht vererbt haben, weil es ihnen gar nicht in den Sinn gekommen ist. Weil sie oft schon so verkalkt waren, daß sie gar nichts mehr von ihrem Vermögen gewußt haben.

«Der Junior hat dann eine bessere Idee gehabt. Sie kennen ja den Papierkrieg für die Versicherungen bei den Scheißhäusltouren. Da ist es ganz einfach gewesen, so einer alten Frau eine Unterschrift abzuluchsen, ohne daß sie bemerkt hat, daß sie gerade ihr ganzes Vermögen der Rettung vermacht hat.»

«Könnte es sein, daß Sie nur aus Angst vor dem Junior den Aphasiker spielen?» ist dem Brenner auf einmal herausgerutscht.

«Hahahahahahaha!»

Der Lungauer hat dann kurz geschwiegen und dabei so schwer geatmet, daß der Brenner schon Angst gekriegt hat, daß er nicht mehr will. Aber dann hat er weitererzählt, als hätte der Brenner nichts gesagt. «Es war immer noch nicht unbedingt etwas Schlechtes, was wir getan haben. Weil ob so eine alte Dame ihr Vermögen den Kerzenschluckern oder uns vermacht, wo soll da der Unterschied sein? Und die Kerzenschlucker haben ja auch ihre Altenbetreuung. Und so haben wir auf einmal mehr als doppelt so viele Testamente gehabt als früher. So haben wir den Rettungsbund zwei Jahre lang auf Abstand gehalten. Aber dann ist er uns wieder näher gerückt.»

Der Brenner hat sich immer noch gewundert, daß der Lungauer keine Wörter mehr verwechselt hat. Hat er sich vorher wirklich die ganze Zeit blöd gestellt? Oder ist es nur die momentane Konzentration gewesen? Oder ist es womöglich am Brenner selber gelegen, daß er die falschen Wörter schon automatisch korrigiert hat?

Ich weiß es nicht. Ich weiß nur: Wie der Lungauer dann weitererzählt hat, hätte der Brenner viel darum gegeben, wenn sich alles nur als eine krankhafte Wörterverwechslung herausgestellt hätte.

«Das Problem war, daß wir am eigenen Ast gesägt haben. Je besser wir gearbeitet haben, um so weniger Leute sind gestorben. Um so seltener haben wir geerbt. Aber dann sind auf einmal drei riesige Testamente in einem Monat fällig gewesen. Normalerweise waren drei Testamente in einem Jahr schon viel. Und im nächsten Monat vier Testamente. Immer bei Fahrten, die der Bimbo mit dem Junior gemacht hat.»

Vielleicht ist alles nur eine gigantische Wörterverwechslung, hat sich der Brenner noch an einen Strohhalm geklammert. Aber es heißt nicht umsonst im Sprichwort: Du sollst dich nicht an einen Strohhalm klammern.

Weil wenn der Lungauer «sterben» gesagt hat, hat er nicht stärken gemeint, sondern sterben. Wenn er «einschläfern» gesagt hat, hat er einschläfern gemeint, nicht gut zureden. Und wenn er «umbringen» gesagt hat, hat er umbringen gemeint und nicht retten.

«Dann sind drei in einer Sache gestorben», hat der Lungauer gesagt.

«Drei in einer Sache?»

«Zwei sogar an einem Tag. Und die dritte noch in derselben Sache.»

Woche. Der Brenner hat sich gefragt, ob es eine Regel gibt, nach der der Lungauer die Wörter einmal verwechselt und einmal nicht verwechselt. Aber siehst du, die großen Fragen schiebt man auf die lange Bank, weil es immer etwas zu fragen gibt, was einem momentan wichtiger vorkommt:

«Was ist die Todesursache gewesen?»

«Immer dieselbe Sache», hat der Lungauer gesagt. Ohne mit der Wimper zu zucken, hat er jetzt einfach das Wort «Sache» für Sache verwendet. «Sie wissen ja selber, daß eine Scheißhäusltour wie die andere ist.»

Scheißhäusltour, ich glaube, so krank kann man gar nicht sein, daß man dieses Wort vergißt.

«Dialyse oder Zucker einstellen», hat der Brenner gesagt.

«In diesem Fall Zucker», hat der Lungauer geantwortet. «Der Bimbo hat die alten Damen, die er ins Krankenhaus gebracht hat zum Zuckerwert-Einstellen, einfach an den Tropf gehängt.»

«Das machen wir doch immer bei einem akuten Zuckerschock», hat der Brenner zuerst nicht begreifen wollen.

«Sicher. Aber im Tropf vom Bimbo ist Zuckerwasser gewesen.»

Der Brenner hat nur leise vor sich hin gepfiffen. Nicht so, wie man pfeift, weil man gerade etwas Sensationelles gehört hat. Sondern seine Melodie. Du weißt schon.

Aber er hat so leise gepfiffen, daß man nichts gehört hat, praktisch Pantomime. So wie einer pfeift, der sich fürchtet, jemanden aufzuwecken. Praktisch schlafende Hunde. Aber besser wäre natürlich, gar nicht zu pfeifen bei einem schlafenden Hund. Praktisch Bluthund.

14

Und dann natürlich hinaus aus dem Zimmer. Hinaus aus der Wohnung. Hinaus aus dem dreiundzwanzigstöckigen Spießerturm. Hinaus aus dem Wohnpark. Und hinein in das Taxi, das sich der Brenner noch vom Telefon der Lungauerin aus bestellt hat.

Während er noch überlegt hat, an wen ihn die Tonbandstimme von der Taxivermittlung erinnert, ist ihm das ausgebleichte Foto neben dem Telefon aufgefallen. Ein kraftstrotzender junger Mann, ein bißchen, wie sie in den alten Schwarzweißfilmen die gesunden Bauernburschen dargestellt haben.

«Ist das Ihr Mann?» hat er die Lungauerin gefragt, weil sich die Taxivermittlung immer noch nicht gemeldet hat.

«Mein Sohn.»

«Sie haben also noch einen –»

Um Gottes willen. Vorher denken und dann reden, das ist eine alte Regel. Und der Brenner wäre jetzt natürlich in einer besseren Position gewesen, wenn er sich an diese Regel von seinem Lateinlehrer gehalten hätte. Weil mitten im Satz ist ihm beides gleichzeitig eingeschossen: Die Telefonstimme hat ihn irgendwie an seine Halbschwester erinnert, die nach Berlin hinauf geheiratet hat, wie er zwölf Jahre alt war. Einen gewissen Gunter Schmitt. Aber der Brenner ist nicht mit ihr aufgewachsen, und in den fünfunddreißig Jahren seit der Hochzeit hat er sie höchstens noch zwei-, dreimal gesehen, und ob du es glaubst oder nicht: manchmal regelrecht vergessen, daß er eine Schwester hat.

Und der Mann auf dem Foto ist natürlich der Lungauer selber gewesen. Bevor ihm der Bimbo mit dem Kreuzschraubenzieher ein Loch ins Hirn gemacht hat.

Der muß durch den Unfall mindestens dreißig Kilo verloren haben, hat der Brenner gedacht. Obwohl er jetzt schon gewußt hat, daß es kein Unfall gewesen ist.

Im Taxi hat der Brenner die ganze Zeit ein bißchen den Kopf eingezogen, weil wenn du bei der Rettung arbeitest, wimmelt es auf der Straße natürlich vor Kollegen, die dich beim Schuleschwänzen erwischen können. Er war ja illegal unterwegs, er hat den Achttausender einfach gebeten, eine Stunde allein zu fahren. Das war um Viertel nach zehn. Und jetzt schon halb zwei vorbei.

Dabei hat ihm das jetzt eigentlich völlig egal sein können. Nachdem ihm der Lungauer alles erzählt hat. Wie aus der Witwenbetreuung die Testamentsfälschung geworden ist. Und aus der Testamentsfälschung die Testamentsbeschleunigung. Und wie es dem Lungauer dann zuviel geworden ist und er postwendend den Kreuzschraubenzieher in den Kopf gekriegt hat.

Und wie dann die Freundin vom Lungauer auf eigene Faust weitergeforscht hat. Wie die Irmi geglaubt hat, sie kann dem Lungauer Gerechtigkeit verschaffen.

«Fröhlich?» hat der Taxler den pfeifenden Fahrgast aus seinen Gedanken gerissen.

Aber der Brenner hat ihm keine Antwort gegeben. Es ist ja immer gefährlich, wenn du einem Wiener Taxifahrer eine Antwort gibst. Das kann ich dir als Warnung mit auf den Lebensweg geben. Weil er gibt dir dann garantiert auch eine Antwort, und die ist im Normalfall kein Vergnügen, mehr will ich darüber gar nicht sagen.

«Fröhlich?» hat der Taxler noch einmal gefragt.

Als Antwort hat der Brenner mit dem Pfeifen aufgehört. Weil jetzt hat er erst bemerkt, daß er schon wieder seine ewige Melodie auf den Lippen gehabt hat.

Knapp vor zwei ist er in der Rettungszentrale gewesen. Er

hat sich an den Hofkameras vorbeigedrückt und ist gleich in seine Wohnung hinauf.

Von seinem Fenster aus hat er dann die Einfahrt beobachtet und gewartet, bis der Hansi Munz einrückt.

Um zwanzig vor drei ist der 740er hereingekommen. Der Brenner sofort hinunter und den Hansi Munz noch im Hof abgefangen. «Hast du fünf Minuten Zeit?»

«Sicher.»

«Komm kurz in meine Wohnung hinauf.»

Der Hansi Munz hat sich zwar gewundert, ist aber trotzdem anstandslos mitgekommen.

«Nett hast du es», hat er in der Wohnung den Kennerblick aufgesetzt. «Wo hast du diese schönen Nußholzkästen her?»

«Von meinem Großvater.»

«Geerbt? Nicht schlecht.»

«Geerbt. Und er ist ganz von selber gestorben.»

«Sterben geht von selber.»

«Ja, meistens.»

«Der Tod ist gratis.»

Aber er kostet das Leben, hätte der Brenner jetzt sagen müssen. Und die letzten fünftausendmal hat er es auch gesagt. Aber dieses Mal: «Sehr witzig.»

«Was hast du denn heute? Ist dir eine Laus über die Leber gelaufen?»

Unglaublich, hat sich der Brenner gedacht. Wie unterschiedlich ein und derselbe Satz aus dem Mund von der Klara und aus dem dummen Mund vom Hansi Munz klingen kann.

«Wieso sagst du Leber?» hat er ihn angeschossen.

«Spinnst du? Wieso soll ich nicht Leber sagen?»

«Erinnerst du dich noch, wie der Bimbo die Spenderleber geholt hat? Wie sie den Küsserkönig erschossen haben.»

«Montag, 23. Mai, 17 Uhr und 3 Minuten.»

«Wieso weißt du das so genau?»

«Man ist ja nicht jeden Tag dabei, wenn jemand umgebracht wird.»

«Bist du dir da sicher?»

«Mir ist beim Bundesheer schon schlecht geworden, wenn ich das Waffenöl gerochen habe.»

«Und von der Spenderleber wird dir nicht schlecht?»

«Was hast du denn dauernd mit der Spenderleber?»

«Kannst du dich noch erinnern, wo der Bimbo gestanden ist, wie er auf die Spenderleber gewartet hat?»

«Wo wird er schon gestanden sein? Bei der Rosi, wo wir eben immer stehen.»

«Ist er allein dort gestanden?»

«Nein, der Lanz ist uns ja noch vor der Nase hineingefahren. Darum hat es ja so lang gedauert.»

«Hast du den Lanz dort stehen gesehen?»

«Ich möchte wissen, was dich das angeht.»

«Hast du ihn gesehen?»

«Du weißt doch, daß man vom Parkplatz aus den Stand von der Imbiß-Rosi nur von hinten sieht.»

«Hast du den Lanz hingehen gesehen?»

«Du, ich hab wirklich was Besseres zum Schauen gehabt.»

«Du hast das schmusende Paar beobachtet.»

Der Hansi Munz hat einen dreckigen Grinser probiert, aber natürlich immer gefährlich. Das ist, wie wenn du beim Turmspringen vom Zehnmeterturm eine zu hohe Schwierigkeitsstufe wählst, und wenn du es dann nicht richtig hinkriegst, schaust du besonders blöd aus.

Das blöde Grinsen ist ihm aber sofort vergangen, wie der Brenner gesagt hat: «Und wenn ich dir sage, daß der Lanz gar nicht am Imbißstand gewesen ist, weil er eine Spenderniere auf die Chirurgie gebracht hat?»

«Aber dann wäre ja der Bimbo schon längst mit der Spenderleber zurück im Auto gewesen.»

«Außer er hat inzwischen was anderes getan. Ihn hast du ja auch nicht gesehen.»

«Aber was soll er denn inzwischen getan haben?»

«Fällt dir nichts ein?»

Der Munz Hansi hat nichts gesagt. Aber je fester er seine Lippen zusammengepreßt hat, um so weiter sind seine Augen herausgekommen.

«Fröhlich?» hat ihn der Brenner auf einmal mit der Stimme vom Taxifahrer gefragt, daß der Munz noch ein bißchen erschreckter geschaut hat.

«Spinnst du eigentlich? Wo hätte der Bimbo denn die Waffe versteckt? Die haben doch alles abgesucht!»

«Bist du heute mit dem 740er gefahren?»

«Du weißt doch, daß ich mit dem 740er fahre, seit der Bimbo tot ist.»

Der Munz war so stolz darauf, daß gleich wieder die Begeisterung mit ihm durchgegangen ist. «Der Junior läßt keinen anderen mit dem neuen 740er fahren. Aber nächsten Monat kommt schon der neue 710er. Gegen den schaut der 740er alt aus, sag ich dir. Der hat sogar eine Gasautomatik. Wenn ich den 710er kriege, kannst du den 740er haben. Kümmere dich rechtzeitig darum. Ich kann dir nur sagen, kein Vergleich mit den alten Kisten.»

Der Brenner ist aber schon unterwegs zu den Garagen gewesen, und der Hansi Munz hinter ihm her, weil irgendwie hat er natürlich schon ein ungutes Gefühl gehabt. Aber so einen Wahnsinn hätte er dem Brenner trotzdem nicht zugetraut. Weil der ist in die 740er-Garage hinein und hat das Auto auseinandergenommen, daß der Hansi Munz vor Schreck zu hüpfen angefangen hat.

«Spinnst du, oder was? Ich muß gleich wieder ausrücken! Reiß mir doch nicht die Vakuummatratze heraus!»

Aber die Vakuummatratze ist schon am Boden gelegen, bevor er das gesagt hat.

Und bevor der Munz geschrien hat: «Aber den Leichsack brauchst du mir nicht auch noch auseinanderfalten!», sind der Leichsack und die Aids-Handschuhe und die großen Mullbinden und die Tücher schon auf dem Garagenboden gelegen.

Und wie der Hansi Munz noch geschrien hat: «Wenn du mir jetzt auch noch den Medikamentenkasten umdrehst –», sind die vierundzwanzig Schubladen und ihr gesamter Inhalt schon über den Garagenboden verstreut gelegen, und die Infusionen sind in den Gully gelaufen. Und die Armschienen und das kleine Verbandszeug und die Zwangsjacke und das Brecheisen und die Sauerstoffflasche, alles hat der Brenner auf den Garagenboden hinausgeräumt.

«Aber das sag ich dir, da räumst du heute die ganze Nacht auf, das versprech ich dir», hat der Hansi Munz gewinselt, während der Brenner auch noch die Handtücher und die Klebebänder und die Brandfolien und die Urinflasche ausgeräumt hat.

Am Schluß waren die Garage und der halbe Hof so voll, daß man sagen muß, unglaublich, was in so ein Ambulanzauto alles hineinpaßt. Mehr als in die Garage, in die aber andererseits wieder das Auto hineinpaßt. Da ist die Ordnung heute schon noch in mancher Hinsicht ein guter Trick. Aber natürlich Kehrseite der Medaille: Je genauer die Ordnung, um so wilder fliegen die Fetzen, wenn es einmal losgeht.

«Scheiße», hat der Brenner geschnauft, wie er alles ausgeräumt gehabt und gesehen hat, was er angerichtet hat. «Das schaut ja schlimmer aus als bei der Altkleidersammlung.»

Weil das weißt du ja, daß die Kreuzretter immer die Altkleidersammlung machen, das ist ja eine ganz großartige Sache. Aber daß der Bimbo der Referent für die Altkleidersammlung gewesen ist, das kannst du nicht wissen. Und dem Brenner ist es auch erst in dem Moment eingefallen, wo er das gesagt hat.

Und im nächsten Moment hat er sich die Schlüssel für die LKW-Garagen geholt. Und im nächsten Moment hat er die

LKW-Garagen aufgesperrt. Drei LKW-Garagen und nicht ein einziger LKW.

Sondern alles voll mit Altkleidern. Das mußt du dir einmal vorstellen. Und Altkleider eigentlich falscher Ausdruck, weil alles topmoderne Neukleider! Alles gewaschen und fein säuberlich sortiert. Millionen von Frustkäufen, wo das Liebesleben vielleicht nicht ganz in Ordnung ist und man zum Trost einkaufen geht, und einmal getragen und ab zur Altkleidersammlung mit dem geliebten Stück. Drei LKW-Garagen vollgestopft bis unters Dach. Das mußt du dir einmal auf der Zunge zergehen lassen, was das chaosmäßig heißt. Denk daran, was ich dir vorher mit der Ordnungsphilosophie erklärt habe.

«Wenn du jetzt auch noch die Fetzen in den Hof herausräumst, dann liefern wir dich in die Geschlossene nach Steinhof hinauf. Das Zwangsjackerl hast du mir ja schon herausgerichtet. Das dauert nur ein paar Sekunden, Brenner, und du hast schon das Zwangsjackerl an. Und Steinhof hat der Bimbo schon einmal in elf Minuten geschafft. Elf Minuten bis zur Gummizelle, Brenner.»

Der Hansi Munz hat jetzt auch noch Unterstützung bekommen. Der fette Buttinger ist in seiner ganzen Leibesfülle in der Tür von der Funkzentrale gestanden und hat gerufen: «Was ist, Brenner? Hast du nichts mehr zum Anziehen? Da mußt du aber vorher fragen, ob du dir was von unseren schönen Altkleidern nehmen darfst. Weil die sind für die braven Neger bestimmt, nicht für dich.»

Der Brenner hat sich aber weder um den Hansi Munz noch um den fetten Buttinger gekümmert. Und er hat auch nicht die Kleider auf den Hof hinausgeräumt.

Er ist nur noch einmal in die 740er-Garage hinüber und hat in dem Saustall, den er angerichtet hat, das Brecheisen gesucht. Das Brecheisen ist eigentlich dafür da, daß du bei einem Autounfall einen Eingeklemmten befreien kannst, bevor er verbrennt.

Und nicht dazu, daß du den Materialspind in der Altkleider-garage aufbrichst, für den nur der Bimbo einen Schlüssel ge-habt hat.

Weiß der Teufel, wo der ihn versteckt hat, vielleicht hat man ihm den Schlüssel als Grabbeigabe mit auf den Weg gegeben. Der Brenner hat jedenfalls jetzt keine Zeit zum Suchen gehabt, er hat die Abkürzung genommen, sprich Brecheisen.

Dann hat er den schönsten Busen gesehen, der ihm in sei-nem ganzen Leben untergekommen ist. «Frühling in der Pro-vence», ist über dem Foto gestanden, das sich der Bimbo mit Klebestreifen in seinen Spind gehängt hat. Aber es muß schon ein älteres Foto gewesen sein. Weil ich sage immer, so schöne Busen gibt es heute nicht mehr. Ich weiß nicht, ob es etwas mit der Emanzipationsbewegung zu tun hat.

Aber ob du es glaubst oder nicht: Der Brenner hat sich das Foto nicht einmal richtig angeschaut. Weil unter dem Foto sind die Schraubenzieher gelegen, und neben den Schraubenziehern ist eine Bohrmaschine gelegen. Aber das ist keine wirkliche Bohrmaschine gewesen.

Wie der Brenner mit der Waffe, die so schwer war, daß ihm beim Tragen fast die Blinddarmnarbe aufgebrochen ist, aus der Altkleidergarage herausgekommen ist, hat weder der Hansi Munz noch der fette Buttinger einen Laut von sich gegeben.

Das einzige, was man gehört hat, war ein leises Plätschern. Von dem Bächlein, das sich vom Uniformbein des Hansi Munz langsam seinen Weg zum Garagengully gebahnt hat.

15

«Jetzt mußt du dich entscheiden, ob du lieber auf der richtigen oder auf der falschen Seite stehst», hat der Brenner so ernst gesagt, wie ich ihn überhaupt noch nie gesehen habe.

«Ich stehe immer auf der richtigen Seite», hat der fette Buttinger geantwortet.

«Dann gehst du jetzt in die Funkzentrale und schaust für mich ein paar Sachen im Computer nach.»

«Glaubst du, weil du einen Schweizerkracher in der Hand hast, tanze ich auf einmal nach deiner Pfeife?»

«Das ist der Schweizerkracher vom Bimbo.»

«Bimbo?» hat der fette Buttinger die Stirn gerunzelt. «Warte einmal, hat der nicht eine Zeitlang bei uns gearbeitet?»

«Der Bimbo hat die Irmi erschossen.»

Wenn der Buttinger seine fette Stirn gerunzelt hat, hat er richtige Speckwürste über den Augen gekriegt. «Und der Stenzl hat sich nur heroisch dazwischengeworfen wie der reinste Leibwächter, oder?»

«Der Stenzl hat nur seinen Schädel hinhalten müssen. Aber der hat ja sowenig im Schädel gehabt, daß die Kugel durch ihn durchgegangen ist wie nichts.»

Der fette Buttinger hat nur gegrinst.

«Und wenn du mich jetzt in den Computer hineinläßt», hat der Brenner nicht lockergelassen, «dann schaut es nachher vielleicht so aus, als wärst du auf der richtigen Seite gestanden.»

Aber der fette Buttinger hat nicht einmal im Traum daran gedacht, daß er den Brenner in den Zentralcomputer hineinläßt.

Er hat es immer noch genossen, daß der Brenner nicht mehr unter dem Schutz vom Junior steht. Aber er hat nicht kapiert, daß er selber auch schon nicht mehr unter dem Schutz vom Junior steht. Weil der Junior hat jetzt seinen ganzen Schutz für sich selber gebraucht.

Im nächsten Augenblick ist der fette Buttinger in die Funkzentrale gestürmt und hat in sein Mikrofon gebrüllt: «740, rükken Sie sofort ein!»

Weil das war der Brenner, der im leergeräumten 740er derart aus der Zentrale hinausgezwitschert ist, daß sich am Gehsteig die Shopping-Heimkehrer bekreuzigt haben. Obwohl eigentlich das Kreuzmachen gar nicht zur Shopping-Religion gehört. Die haben ja andere Rituale, da nimmt man einen Geldschein in die Hand, und den gibt man einer eigens dafür zuständigen Kassiererin, aber Kreuzmachen an und für sich nicht.

Aber wie der Brenner mit Blaulicht und Sirene über die erste rote Ampel gerumpelt ist und dabei einen Reisebus zur Vollbremsung gezwungen hat, hat er im Rückspiegel eine Frau gesehen, die sogar eigens ihre Einkaufstaschen abgestellt hat, um sich zu bekreuzigen.

«740, sofort einrücken!» hat der fette Buttinger wieder gebrüllt. Aber da war der Brenner schon längst über alle Berge. Und die Shopping-Leute auch über alle Berge, auf und davon ins erstbeste Geschäft und vorsichtshalber etwas für die nächste Altkleidersammlung kaufen, damit man nicht der nächste ist, den die Rettung oder der Teufel holt.

«740, sofort einrücken!»

Der fette Buttinger ist zwar ein furchtbar reizbarer Mensch gewesen, aber ich kann mich nicht erinnern, daß er jemals derart die Funkdisziplin verloren hätte. Weil er hat jetzt geschrien:

«An alle Einsatzfahrzeuge! An alle Einsatzfahrzeuge! Stoppen Sie 740!»

«Standort?» haben die Einsatzfahrzeuge zurückgefragt.

«Unbekannt!» hat der fette Buttinger gebrüllt.

«690 an Zentrale!» hat sich der Schimpl aufgeregt gemeldet.

«690?»

«740 fährt auf der Triester Straße stadtauswärts.»

«690 verstanden. Folgen Sie 740!»

«740 fährt 160.»

«Auf der Triester Straße?»

«Positiv.»

«Dann fahren Sie 170!»

«Verstanden», hat der Schimpl so einsatzmäßig gefunkt, daß ich sagen muß, Kriegsschauplatz nichts dagegen.

Dann kurze Unterbrechung, weil der fette Buttinger einen Wagen zu einem Herzinfarkt in die Herrengasse schicken hat müssen, und dann schon wieder der aufgeregte Schimpl:

«690 an Zentrale!»

«690?»

«Schwerer Unfall!»

«Wo?»

«Triester Straße, Kreuzung Anton-Baumgartner-Straße.»

«Wie viele Verletzte?»

«Zwei Schwerstverletzte.»

«Versorgen Sie die Verletzten an Ort und Stelle. Ich schicke Ihnen sofort den Notarztwagen.»

«690 an Zentrale!» hat der Schimpl sich gar nicht mehr beruhigen wollen.

«690?»

«Wir sind selber die Verletzten!»

«Was soll das heißen?»

«Überschlag bei der Verfolgung von 740.»

«Ihr gottverdammten Arschlöcher!» hat der fette Buttinger noch in das Mikrofon gebrüllt, und dann hat der Brenner leider nicht mehr zuhören können, weil er schon in Alt Erlaa war. Er hat vor dem dritten Block geparkt und ist in den zweiten

Stock hinauf, wo der Herr Oswald gewohnt hat, höchstens hundert Meter Luftlinie vom Lungauer entfernt.

Jetzt allgemeine Wahrheit: Oft machen die Männer daheim den Fehler, daß sie nicht aufstehen, wenn es klingelt. Sondern die Frau soll aufstehen, weil die Couch gerade so gemütlich ist, oder sagen wir: Sportnachmittag.

Und wenn die Frau dann die Tür schon aufgemacht hat, ist es womöglich zu spät. Ist die unangenehme Überraschung womöglich schon fertig. Sprich, konkreter Fall: Wie die Frau Oswald die Tür aufgemacht hat, hat der Brenner gleich den Herrn Oswald auf der Couch gesehen, und der Herr Oswald hat den Brenner in der Tür gesehen. Aber der Herr Oswald hat geglaubt, er sieht ein Gespenst, und der Brenner hat geglaubt, er sieht einen akuten 21, sprich Kolbenreiber, sprich Herzinfarkt.

«Ein Herr Brenner ist für dich da», hat sie sich zu ihrem Mann umgedreht, und dem Brenner ist gleich ihre gepflegte Sprache aufgefallen. Eine noble Erscheinung, das muß ich sagen, hochgesteckte Haare, Lodenkostüm und alles, im Fernsehen wäre sie die Gattin von einem Landarzt gewesen, aber im wirklichen Leben war sie nur die Gattin vom Herrn Oswald.

Und die Einrichtung war auch sehr elegant: weiße Wände, weißer Teppich, weißes Ledersofa, weißes Gesicht vom Hausherrn:

«Ja», ist es ihm entfahren, «der Herr Brenner!»

«Lange nicht gesehen, Herr Oswald.»

«Das ist der Herr Brenner», hat der Hausherr in Richtung seiner Frau gestammelt, «wir kennen uns.»

«Kommen Sie doch herein», hat sie freundlich zum Brenner gesagt und ihm die Hand gegeben.

«Nein, ich!» hat der Herr Oswald ausgestoßen. «Ich gehe mit dem Herrn Brenner hinaus.»

Und dann natürlich fragender Blick von der Frau Oswald. Da gibt es so einen netten Ausdruck, wenn ein paar Leute in einem Zimmer sind und auf einmal verstummt das Gespräch, dann sagt man: Ein Engel geht durch den Raum. Ich weiß auch nicht, wo das herkommt, vielleicht weil man da immer so ein komisches Gefühl hat, praktisch jenseitiger Hauch. Fast wie wenn du beim Shopping in ein Geschäft kommst und alle Regale sind leer.

Und während der Engel langsam durch den Raum spaziert ist, hat der Brenner sich erinnert, wie er gestern auf der Geriatrie die *Bunte* durchgeblättert hat. Da war ein Foto vom dicksten Mann der Welt, der gerade in Amerika gestorben ist. Ob du es glaubst oder nicht: 420 Kilo! Sie haben die Wand herausreißen müssen, damit sie seine Leiche aus dem Haus gekriegt haben.

Du wirst sagen, warum haben sie ihn nicht zerschnitten, wäre billiger gekommen, aber siehst du, das ist eine Sache vom Feingefühl. Ich finde, so viel Respekt muß man vor einem Menschen haben, daß man ihn nicht zerschneidet, nur damit man ihn bei der Tür hinauskriegt. Und wenn man ihn nachher zehnmal verbrennt oder vergräbt oder in den Schließfächern von einer Organbank portioniert, das ist etwas anderes, als wenn man ihn aus reinen Transportgründen zerlegt, und da muß ich den Amerikanern ausnahmsweise einmal recht geben.

Was ich eigentlich sagen will: Der Brenner hat jetzt die Vorstellung gehabt, daß der Engel von diesem amerikanischen Monster durch die Oswald-Wohnung gegangen ist, so ein gewaltiges Schweigen ist das gewesen, das auf einmal zwischen dem Ehepaar Oswald gestanden ist.

Und dann hat der Brenner zur Frau Oswald gesagt: «Ich bin von der Rettung. Und Ihr Mann hat gestern einem Radfahrer das Leben gerettet.»

Diese Hochhaustürme schwanken ja ganz leicht, das spürt man normalerweise nicht, schon gar nicht im zweiten Stock unten. Aber der Brenner hat sich jetzt eingebildet, daß er es spürt.

Und siehst du, das muß der Stein gewesen sein, der dem Herrn Oswald vom Herzen gefallen ist.

«Das hast du mir ja gar nicht erzählt», sagt die Frau Oswald so stolz, daß ihre edlen Augen einen ziemlich unedlen Rührungsschimmer bekommen haben.

«Wahrscheinlich hat er Sie nicht erschrecken wollen», ist der Brenner mit einer Antwort eingesprungen.

«Aber da wäre ich doch stolz gewesen! Wieso hast du mir denn das nicht erzählt?»

Liebe Frauen! Nicht so zappelig nach den Geheimnissen bohren, dann traut sich der Mann mehr heraus aus seinem Schneckenhaus, das wäre mein Ratschlag zu dieser Grundproblematik. Obwohl in diesem Fall natürlich Taktik egal, weil sowieso alles zusammen nur ein einziges Lügengebäude.

«Der Patient ist bereits außer Lebensgefahr», hat der Brenner schon zur nächsten Lüge ausgeholt. «Und er hat keinen größeren Wunsch, als den Menschen kennenzulernen, der ihm das Leben gerettet hat.»

«Ja, dann mußt du gehen!» ruft die Frau Oswald so resolut, daß ich sagen muß: So würde natürlich eine abgehörte Frau nie mit ihrem Voyeur reden, da kann ich die Vorliebe vom Herrn Oswald schon auch ein bißchen verstehen.

Sie hat ihm gleich seine elegante Jacke gebracht, und er hat sie angezogen wie ein willenloses Kind.

«Bis später», hat seine Frau gesagt, aber er hat nichts geantwortet. Und wie er mit dem Brenner im Lift hinuntergefahren ist, hat er immer noch nichts gesagt, und wie er sich neben dem Brenner in das Rettungsauto gesetzt hat, hat er immer noch nichts gesagt, und wie der Brenner schon fünf Minuten lang mit Blaulicht dahingerast ist, hat er immer noch nichts gesagt. Und dann hat er geschrien:

«Sind Sie vollkommen durchgedreht? Haben Sie völlig den Verstand verloren? Sind Sie irrsinnig? Sind Sie ein Sadist? Wollen Sie meine Ehe zerstören? Haben Sie überhaupt soviel Verstand wie, wie, wie –»

«Welche Frage soll ich zuerst beantworten?»

Aber diese Meldung ist dem Brenner im Hals steckengeblieben. Weil im nächsten Moment hat es den Herrn Oswald geschüttelt wie einen Epileptiker, so hat er geheult in seinem Schock, daß seine Frau fast sein kleines Hobby entdeckt hätte.

Jetzt hat es dem Brenner natürlich leid getan, daß er den 740er ausgeweidet hat wie eine Weihnachtsgans. Weil sonst hätte er jetzt nur in den Medikamentenkasten greifen brauchen und den Oswald mit ein, zwei Rohypnol schön sanft genau so weit hin beruhigen können, daß er nicht mehr hysterisch ist und doch noch einsatzfähig. Aber so hat der Brenner befürchten müssen, daß der Herr Oswald in diesem Zustand seine Aufgabe gar nicht bewältigen wird.

Jetzt ist ihm nichts Besseres zur Beruhigung eingefallen als die Kassette, die ihm die Klara zum Abschied zugesteckt hat. Aber wie die ersten Takte aus den Quadrophonie-Lautsprechern gekommen sind, hat der Brenner schon befürchtet, es war eine schlechte Idee. Weil das ist eine Musik, schon gewaltige Wirkung.

Obwohl sie ohne Verstärkeranlage spielen und ohne alles, keine Elektrogitarren, nichts, nur die Musik, so was gibt es heute nicht mehr. Jetzt natürlich – statt daß der Oswald mit dem Weinen aufhört, hat der Brenner aufpassen müssen, daß er nicht selber anfängt. Weil Erinnerung und alles.

Er hat ein bißchen leiser gedreht und dem Oswald erzählt: «Ich weiß jetzt, wer den Stenzl und die Krankenpflegerin erschossen hat.»

Der Oswald hat aber überhaupt nicht reagiert und nur weiter vor sich hin gewimmert.

«Alle haben geglaubt, man hätte den Stenzl erschießen wollen. Und daß die Irmi dabei auch ums Leben gekommen ist wäre nur ein Unfall gewesen.»

Der Oswald hat davon nichts wissen wollen. Soweit es der Sicherheitsgurt zugelassen hat, hat er dem Brenner den Rücken zugekehrt und aus dem Seitenfenster gestarrt.

«Komm, sühühßes Kreuheuz», hat der Tenor gesungen. Da hat die Klara schon recht gehabt: «süßes Kreuz», nicht «süßer Tod».

Wie er im Lauf von dreißig Jahren die beiden Wörter verwechselt hat, das hat den Brenner jetzt ein bißchen an den Lungauer mit seiner Aphasie erinnert. Aber natürlich, das entscheidende Wort hat er schon richtig gehabt. Weil irgendwo ganz hinten in seinem Hirn muß der Brenner schon die längste Zeit das süße Diabetikerblut im Visier gehabt haben. Schon lange, bevor er gewußt hat, daß der Bimbo seine Patientinnen, statt sie zu retten, mit einem Zuckerschock ins Jenseits befördert hat.

Aber ein bißchen ist ihm das jetzt schon selber unheimlich geworden, wie er überlegt hat, seit wann ihn die Melodie gequält hat. Weil das war nicht nur der Tag, wo er die Klara getroffen hat. Das war auch der Tag, wo ihm die zuckerkranke Frau Rupprechter erzählt hat, daß die Irmi in ihren Papieren geschnüffelt hat, sprich Testament. Dabei hat er die Geschichte damals gar nicht richtig registriert. Aber ganz hinten im Kopf muß er sie eben doch registriert haben!

«In Wirklichkeit ist es aber gar nicht um den Stenzl gegangen», hat der Brenner weitererzählt. «Die Irmi ist von vornherein das Ziel gewesen. Und nur um die Spur zu verwischen, hat jemand durch den Stenzl hindurchgeschossen.»

Der Brenner hat aus dem Augenwinkel heraus genau gesehen, wie es den Oswald gerissen hat. Er hat versucht, sich nichts anmerken zu lassen, aber vor lauter Konzentration darauf hat er zu heulen aufgehört, und damit hat er sich natürlich erst recht verraten.

«Mir doch egal», hat der Oswald zwar noch getrotzt und demonstrativ beim Seitenfenster hinausgeschaut. Aber am Demonstrativen hast du es natürlich schon erkennen können.

«Ich habe Ihnen doch von meinem Kollegen erzählt, dem Bimbo.»

Keine Reaktion. Aber eben: zu demonstrativ.

«Die Sache im Kellerstüberl», hat der Brenner weiter gebohrt, «wo er mit der Tochter von einem anderen Kollegen.»

«Sie sind ja selber ein Spanner!» bockt der Herr Oswald zum Fenster hinaus.

«Stört Sie das?»

«Zumindest renne ich nicht zu Ihrer Frau und binde es ihr auf die Nase.»

«Aber Ihre Frau war doch richtig stolz auf Sie.»

«Im letzten Moment», hat der Herr Oswald geflüstert. Und dann hat er sich auf seinem Beifahrersitz zum Brenner hingedreht und ihn angeschrien: «Im letzten Moment! Im letzten Moment!»

Der Brenner ist froh darüber gewesen, sprich reinigendes Gewitter. Langsam hat der Herr Oswald den Schock überwunden, daß ihm seine Frau fast auf sein Geheimnis gekommen wäre.

«Es ist ja gut ausgegangen», hat der Brenner versöhnlich gesagt.

«Gott sei Dank.»

Und dann zweiter Versuch vom Brenner: «Aber Sie erinnern sich an den Bimbo?»

«Natürlich erinnere ich mich! Glauben Sie, so eine Geschichte vergesse ich?»

«Eben.»

«Komm, sühüßes Kreuheuz», hat das Autoradio immer noch gebettelt.

Und da muß man ganz ehrlich sagen: Der Johann Sebastian

Bach hat schon gewußt, warum er so viele Wiederholungen gemacht hat in seinen Liedern. Der hat seine Pappenheimer schon gekannt, daß man die Dinge immer tausendmal sagen muß, bis die Leute es einmal begreifen.

Weil jetzt hat der Brenner erst kapiert, warum er den Text des Liedes verwechselt hat. Warum er wie der Lungauer irgendwo ganz hinten in seinem Hirn die zwei Wörter ausgetauscht hat: Tod und Kreuz. Unglaublich, wie lange es gebraucht hat, bis es sich von da ganz hinten in seinem Hirn nach vorne durchgesprochen hat: daß das Kreuz auf den Rettungsautos für die Zuckerpatientinnen nicht die Rettung bedeutet hat, sondern den Tod.

«Ich habe Ihnen erzählt, daß der Bimbo in der Nähe war, wie die beiden mit einer einzigen Kugel erschossen worden sind. Und das war auch richtig. Der Bimbo war in der Nähe. Aber nicht als Zeuge. Schauen Sie einmal in das Handschuhfach hinein.»

Der Schweizerkracher war so groß, daß er gerade noch Platz gehabt hat im Handschuhfach. Der Oswald hat ihn nicht einmal angegriffen, sondern das Handschuhfach sofort wieder zugemacht.

«Es ist der Bimbo gewesen, der dem Stenzl ins Genick geschossen hat.»

«Komm, sühüßes Kreuheuz», hat der Tenor in seinen ewigen Wiederholungen dahingesungen.

«Und wer hat dann den Bimbo auf dem Gewissen?»

«Genau dafür brauch ich Sie.»

Der Oswald hat blöd geschaut und wieder das Handschuhfach aufgemacht. «Mich?» Dieses Mal hat er seine Hand ausgestreckt nach der Waffe, aber im letzten Moment hat er zurückgezuckt.

«Sie können sie ruhig angreifen. Die stinkt so nach Desinfektionsmittel, da hat der Bimbo garantiert keinen Fingerabdruck draufgelassen.»

Aber wie der Oswald versucht hat, sie herauszunehmen, hat sie sich keinen Millimeter gerührt.

«Hören Sie, was der da singt?» sagt der Brenner.

«Der singt ja schon drei Minuten dasselbe.»

«Ja, immer nur ‹Komm, süßes Kreuz›.»

«Da kriegt man vor lauter süß noch faule Zähne, bevor man den Löffel abgibt.»

Dem Brenner ist vorgekommen, daß der Herr Oswald auf einmal wie ein Rettungsfahrer geredet hat. Vielleicht daß die Umgebung ein bißchen ansteckend ist, das Einsatzmäßige. Daß da auch einem sensiblen Menschen wie dem Herrn Oswald auf einmal der Bizeps wächst – moralisch gesprochen.

Aber gleich ist der Oswald wieder bei seinem alten, beleidigten Tonfall gewesen: «Was reden Sie über das Lied? Ich möchte endlich wissen, was ich hier soll!»

«Der Bimbo hat zuckerkranke Patienten mit einer Zuckerlösung behandelt. Vorher hat er ihnen aber noch schnell das Testament zum Unterschreiben hingehalten. Die Irmi hat er erschossen, weil sie ihm auf die Spur gekommen ist.»

«Sie meinen, die Rettung hat die Leute umgebracht statt gerettet?»

«Komm, sühüßes Kreuheuz», hat der Tenor immer noch so verführerisch gesungen, als ginge es um das Kreuz, auf das die Männer immer die Frauen legen wollen.

«Können Sie das beweisen?»

«Genau dazu brauche ich Sie.»

Der Oswald hat ihn groß angeschaut.

«Sie müssen für mich irgendwie in den Kreuzrettungscomputer hineinkommen.»

«So was Ähnliches habe ich schon befürchtet», hat der Herr Oswald geseufzt.

«Nummer achtzehn?» hat der Brenner gefragt, wie sie in die Novaragasse eingebogen sind.

Der Oswald hat nicht einmal genickt. Und er hat auch nicht wissen wollen, woher der Brenner weiß, daß er hier seine millionenteure Anlage stehen hat.

Wie er die finanziert hat, kannst du dir ja vorstellen. Aber eines muß ich zu seiner Ehrenrettung sagen. Er hat seine Abhörattacken nie des Geldes wegen gemacht. Und wenn er nebenbei ein bißchen was erpreßt hat, dann nie zur privaten Bereicherung. Immer im Dienst der Sache, immer jeden Groschen brav in den Ausbau der Anlage gesteckt. Und noch genug privates Geld draufgelegt!

Die Wohnung selber kann nicht viel gekostet haben. Eine wilde Bude ohne Klo und ohne Bad. Aber der Computer praktisch NASA.

Während der Herr Oswald seine Maschine angeworfen und versucht hat, in den Kreuzrettungscomputer hineinzukommen, hat ihm der Brenner den Rest erzählt.

«Der Lungauer hat aussteigen wollen, wie das Spiel immer krimineller geworden ist. Einen Tag, nachdem er das dem Junior mitgeteilt hat, ist ihm der Bimbo mit dem Schraubenzieher –»

«720 Barmherzige Brüder!» hat ihn der Computer mit der Stimme vom Czerny unterbrochen.

Wie er sich von dem Schreck, daß der Herr Oswald binnen zwei Minuten den Funk abhören kann, gefangen gehabt hat, sagt er: «Die Stimme erkennt man hier ja besser als in unseren eigenen Autos.»

«Freilich hab ich einen besseren Empfang», hat der Herr Oswald unbeeindruckt gesagt. Aber bis er dann all die Angaben vom Lungauer überprüft gehabt hat, ist doch noch eine gute Stunde vergangen.

«Positiv», hat der Herr Oswald gesagt, nachdem er geschaut hat, ob tatsächlich am 17. Oktober des Vorjahres die 82jährige Diabetikerin Rosa Eigenherr während der Fahrt verstorben ist.

«Positiv», daß tatsächlich der Bimbo und der Junior bei dieser Fahrt die Fahrer gewesen sind, sprich Groß und R1, weil der Computer hat keine Spitznamen gekannt. Der Junior hat von seinem Vater das R1 übernommen, aber die Menschen haben sich nicht mehr von «Junior» auf «R1» umgestellt, nur der Computer hat es gefressen.

«Positiv», hat der Herr Oswald gemeldet, daß drei Wochen später wieder eine Diabetikerin während der Fahrt verstorben ist.

«Positiv», daß wieder der Junior und der Bimbo das Todestaxi gefahren haben.

«Positiv», daß am 26. November dem Bimbo und dem Junior eine Diabetikerin während der Fahrt gestorben ist.

«Positiv» auch beim Herrn Haberl, dem einzigen Mann in der Runde.

«Jetzt brauchen wir nur noch die Frau Edelsbacher», hat der Brenner von seinem Zettel gelesen, «10. Dezember.»

«Wie soll das überhaupt funktioniert haben?» hat der Herr Oswald gefragt, während er weitergesucht hat.

«Im Tropf war Zuckerwasser statt –»

«Jaja, das meine ich nicht. Aber wenn der Bimbo eigentlich die Irmi erschossen hat und nur durch den Stenzl durchgeschossen hat, um die Spur zu verwischen –»

«Oder auf den Rettungsbund zu lenken. Angriff ist die beste Verteidigung. Darum hat der Junior mich auch auf den Rettungsbund gehetzt. Bei der Konkurrenz möglichst viel Dreck aufwirbeln. Damit niemand auf den Gedanken kommt, sich mit dem Junior zu beschäftigen.»

«Meinetwegen. Aber wie hat der Bimbo wissen können, daß die beiden genau um fünf Uhr küssend dort stehen werden?»

«Kennen Sie die 50-Prozent-Theorie?» hat der Brenner gefragt. Und dann hat er ihm umständlich die Theorie von der Klara erzählt, bis er endlich zu der Erklärung gekommen ist:

«Die Irmi hat überall herumgeschnüffelt, ob sie irgendwelche Belege für die illegalen Machenschaften vom Junior findet. Deshalb hat sie auch in der Blutbank gesucht, weil der Junior den Stenzl in die Blutbank hineingebracht hat.»

«Dafür hat sie sich den Stenzl sogar angelacht», ist mit dem Herrn Oswald wieder der Spanner durchgegangen.

«Eben nicht. Da kommt die 50-Prozent-Theorie ins Spiel. Weil es nämlich genau umgekehrt gewesen ist. Die Irmi hat geglaubt, sie spioniert hinter dem Stenzl her, aber in Wirklichkeit ist der Stenzl hinter ihr her gewesen.»

«Wieso?»

«Auftrag vom Bimbo. Die haben längst gewußt, daß die Irmi was im Schilde führt.»

«Und daß der Stenzl mit der Irmi um fünf dort gestanden ist, war auch ein Auftrag vom Bimbo?»

Bevor der Brenner zum Antworten gekommen ist, hat der Oswald gemurmelt: «Alt Erlaa.»

Weil während der ganzen Zeit, wo der Herr Oswald so flink im Zentralcomputer herumgesucht hat, ist auch der aktuelle Kreuzrettungsfunk mitgelaufen. Und nicht nur der Funk, sondern auch noch die hysterischen Notruftelefonate.

Den Brenner haben die selbstgefälligen Einsatzkommandos vom fetten Buttinger schon die ganze Zeit genervt. Aber er hätte es dann trotzdem überhört, wenn nicht jetzt der Herr Oswald gemurmelt hätte: «Alt Erlaa.» Praktisch Heimatgrüße, wie der fette Buttinger gefunkt hat:

«23, epileptischer Anfall, Alt Erlaa.»

«Das ist weniger positiv», hat der Brenner auf einmal geschaltet. Weil die Adresse, die der fette Buttinger durchgegeben hat, ist die Adresse vom Lungauer gewesen.

Und obwohl er zuerst nicht auf den Anruf geachtet hat, weil ja andauernd die Anrufe gelaufen sind, hat er jetzt irgendwie noch den Anruf im Ohr gehabt. Hat er irgendwie die Stimme von der Lungauerin noch im Kopf gehabt. Hat er mit einem Ohr noch nachhallen gehört, wie die Mutter vom Lungauer um Hilfe ruft.

Irgendwo muß das der Brenner noch gespeichert gehabt haben, weil er es sich jetzt im nachhinein noch irgendwie zusammengeklaubt hat.

Aber siehst du. Irgendwie ist eben nicht genug. Ich würde dich ja gern in dem Glauben lassen, daß der Brenner in einem Konzentrationsanfall sich noch jedes Wort von der Lungauerin zusammengeklaubt hat. Praktisch: Mensch ja, Technik nein. Aber in Wahrheit hat der Brenner noch gar nicht richtig angefangen, den Nachhall von dem Anruf in seinem Kopf zu belauschen, da hat ihm der Herr Oswald schon den ganzen Anruf aus seinem Computerspeicher vorgespielt:

«Komm schnell!» hat die Lungauerin in das Telefon geschrien. «Mein Sohn hat einen Anfall!»

Der Herr Oswald ist jetzt so souverän an seinem Gerät gesessen wie ein Hochseekapitän, der die gefährlichsten Schallwellen ohne weiteres meistert.

«Heute war einer von deinen Männern da und hat ihn ausgefragt! Das hat ihn so aufgeregt, daß er einen Anfall gekriegt hat! Komm schnell!»

Der Brenner hat sich gewundert, daß die Lungauerin mit dem fetten Buttinger per du ist. Aber die Leute vom Land sind ja oft schneller per du, und vielleicht hat sie die alten Kollegen von ihrem Sohn einfach geduzt.

«Schnell!» hat die alte Lungauerin ins Telefon geschrien. «Komm!»

«Süßer Tod», hat der Brenner für sie ergänzt. Weil ihr Anruf hätte wirklich den sicheren Tod für ihren Sohn bedeutet, wenn nicht der Herr Oswald mit seiner Anlage gewesen wäre.

Und da kann man gegen die Technik sagen, was man will, aber ohne sie wäre der Lungauer eine halbe Stunde später tot gewesen. Und man erschreckt vielleicht manchmal, daß gerade die Lebensretter, die Ärzte und die Spitäler und die Rettung ausgerüstet und bewaffnet sind bis zu den Zähnen, praktisch Privatarmee. Praktisch kleiner Krankenschwesternfaschismus, hochkarätig gesprochen.

Aber das ist eben so, wenn es auf Leben und Tod geht. Da verliert man das Sozialkritische. Da greift man dann doch wieder zur Technikbombe, auch wenn man sonst sagt: lieber das Menschliche.

Und durch den Maschinenpark des Herrn Oswald hat es jetzt doch noch einen Hoffnungsschimmer für den Lungauer gegeben. Weil so haben sie genau gehört, wie der fette Buttinger sofort nach dem Anruf der Lungauerin den Junior informiert hat. Darüber, daß der Brenner den Lungauer ausgequetscht hat, bis er einen Anfall gekriegt hat. Und erst jetzt in der Wiederholung hat der Brenner den Junior im Funk gehört: «590 rückt aus.»

Der Brenner hat gewußt, daß der Auspuff des 590er, der die Abgase direkt in den Transportraum geleitet hat, immer noch nicht repariert war.

«Kommen Sie!» hat er den Oswald von seinem Computer regelrecht weggerissen. Und im nächsten Moment ist er schon die Stiege hinuntergehechtet, als ginge es um einen akuten 21.

«Der Junior fährt gerade nach Alt Erlaa hinaus und will den Lungauer abholen», hat der Brenner im Hinunterlaufen erklärt. «Der Lungauer ist der einzige Zeuge. Bisher hat der Junior geglaubt, daß der Lungauer zu bedient ist, um etwas aussagen zu können. Aber jetzt weiß er, daß ich bei ihm war. Wir müssen den Lungauer unbedingt vor dem Junior erwischen.»

«Wir müssen ihn vor der Rettung retten», hat der Herr Oswald verwundert geschnauft.

Der Brenner ist gefahren, daß ich sagen muß: Wenn es eine Hölle gibt, dann hat der Bimbo sicher stolz auf ihn heraufgeschaut. Weil vom zweiten Bezirk bis Alt Erlaa sind es leicht zehn Kilometer und bestimmt, warte: dreißig, vierzig, vielleicht sogar an die fünfzig Ampeln. Und vom zweiten Bezirk bis Alt Erlaa nicht ein einziges Mal anhalten – da trau ich mir nicht die Hand ins Feuer legen, ob das der Bimbo überhaupt einmal geschafft hat.

Aber wie der Brenner dann bei der Mutter vom Lungauer geläutet hat, ist der Junior mit ihrem Sohn schon weg gewesen.

16

Vier Stunden, bevor das Donauinselfest begonnen hat, waren die Straßen so ausgestorben, wie der Brenner es in Wien überhaupt noch nie erlebt hat, praktisch Geisterstadt. Jetzt ist er natürlich mit den roten Ampeln auch ein bißchen im Vorteil gewesen.

Wie das Handschuhfach von den Vibrationen aufgesprungen ist, hat der Herr Oswald wieder nach dem Schweizerkracher gegriffen. Und dieses Mal hat er ihn wirklich herausgenommen. Aber er ist ihm sofort aus den Händen gefallen und auf den Boden gekracht.

«Passen Sie auf!» hat der Brenner geflucht, obwohl ihm selber gerade ein einsamer Fußgänger den Vogel gedeutet hat, so brutal hat er ihn vom Zebrastreifen gescheucht.

«Die ist ja irrsinnig schwer», hat sich der Herr Oswald gewundert, wie er die Waffe wieder aufgehoben hat.

«Ja, aus Plastik ist die nicht. Mit der kannst du zwei gleichzeitig erschießen.»

«Gleichzeitig nicht, aber mit einer Kugel hintereinander», hat es der Herr Oswald auf einmal ganz genau genommen. «Wohin fahren wir eigentlich?»

«Sanitäter Munz an 590», hat der Brenner mit der Stimme vom Hansi Munz ins Funkmikrofon gequengelt.

«590 Standort Spinnerin am Kreuz», hat der Junior sofort geantwortet.

Der Brenner hat gegrinst, wie er dann den echten Hansi Munz ganz aufgeregt aus dem Funk gehört hat: «770 an alle! Wer funkt hier Sanitäter Munz?» Der arme Hansi Munz, sowieso schon mit dem alten 770er gedemütigt, weil ihm der

Brenner mit dem 740er auf und davon ist, und jetzt funkt auch noch einer mit seiner Stimme, ohne daß der Junior es kapiert.

«770, was wollen Sie?» hat der Junior in den Funk geknurrt.

«770 hat gar nicht gefunkt», hat der echte Hansi Munz gefunkt.

Du und ich, wir wissen ja, daß er im Recht war. Aber es ist ihm doch ein bißchen zu aufsässig für den Junior herausgerutscht. Die Aufsässigkeit hat eigentlich dem Unbekannten gegolten, der seine Stimme imitiert hat. Aber Funkadressat natürlich der Junior. Und respektlos funken ist beim Junior das Schlimmste überhaupt gewesen.

Da ist es ganz egal, ob du jetzt eine normale Scheißhäusltour fährst oder gerade einen Menschen in den Tod chauffierst, und da geht es nicht nur um die Funkdisziplin, sondern das ist im Grunde genommen eine ästhetische Frage, ob du dich heute am Funk unter Kontrolle hast oder nicht.

«770, melden Sie sich heute abend bei mir. Ende.»

«770 verstanden», hat der Hansi Munz gefunkt, und der Brenner hat sich vorgestellt, wie der arme Hund gerade erst die Hose gewechselt hat und jetzt schon wieder mit vollen Hosen dem Abend entgegenzittert.

«810 Standort Franz-Josef-Spital», hat ein Fahrer seinen Standort gemeldet.

«810 einrücken», hat die Funkzentrale geantwortet.

Solche Meldungen hörst du am Tag natürlich Hunderte, die gehen dir beim einen Ohr hinein und beim anderen hinaus.

Der Brenner ist erst aufmerksam geworden, wie der Fahrer sich noch einmal gemeldet hat.

«810 Franz-Josef-Spital! 810 Franz-Josef-Spital!»

«810 einrücken!» hat der fette Buttinger beim zweitenmal schon ziemlich gereizt geantwortet, weil es hat solche Tage gegeben, wo am Funk eine gewisse Disziplinlosigkeit eingerissen ist.

«810 Franz-Josef-Spital!»

Jetzt natürlich.

«810 verstanden», hat der Brenner gefunkt. Obwohl es ihn rein funkmäßig überhaupt nichts angegangen ist.

Aber «verstanden» war in dem Fall nicht funkmäßig gemeint. Sondern der Brenner hat jetzt endlich verstanden: 810 war der kleine Berti! Und das Franz-Josef-Spital war nur ein paar hundert Meter von der Spinnerin am Kreuz entfernt, wo vorher der Junior seinen Standort gemeldet hat.

Das darfst du jetzt nicht mit dem Franz-Josefs-Bahnhof verwechseln, wo der Brenner seinerzeit den Sandler nicht gefunden hat. Der Bahnhof ist ja genau am anderen Stadtende, das ist nur zufällige Namensgleichheit. Oder so zufällig vielleicht auch wieder nicht, weil der Franz Josef ist in Wien natürlich schon ein bißchen der Lokalkaiser.

«810 Matzleinsdorfer Platz», hat der Berti gefunkt.

«810, rücken Sie endlich ein! Und melden Sie mir nicht jede Kurve, in die Sie einbiegen!» hat der fette Buttinger entnervt in den Funk gebrüllt.

Aber der Brenner hat jetzt natürlich verstanden, daß der kleine Berti für ihn den Junior verfolgt.

Der Berti ist ja zwischendurch eingerückt gewesen und hat schon die ganze Geschichte vom Schweizerkracher und vom 740er gekannt. Und du darfst eines nicht vergessen. Den kleinen Berti hat es damals unheimlich genervt, wie der Brenner einmal den ganzen Tag die Funkstimmen von den Kollegen nachgemacht hat. Jetzt hat er natürlich gleich erkannt, daß das am Funk nicht der Hansi Munz war, sondern der Brenner, der den Hansi Munz nachmacht. Und da hat er natürlich nur noch zwei und zwei zusammenzählen müssen, um zu erraten, daß der Brenner aus irgendeinem Grund den genauen Standort vom Junior wissen will.

«810 Gudrunstraße!» hat der kleine Berti schon wieder gemeldet.

Jetzt der fette Buttinger auf einmal ganz gelassen: «Wenn einer der Kollegen 810 sieht, sagen Sie ihm, er soll einrücken. Sein Funkempfang ist defekt.»

«Verstanden», haben der Brenner und noch zehn andere Fahrer gefunkt.

«810 fährt Gudrunstraße.»

Der Brenner hat nicht mehr zurückgefunkt. Er hat gefürchtet, daß der Junior sonst aufmerksam wird.

Und der kleine Berti hat auch minutenlang nicht mehr gefunkt. Der Brenner hat daraus geschlossen, daß der Junior immer noch auf der kilometerlangen Gudrunstraße unterwegs ist und nicht in die Laxenburger Straße eingebogen ist.

«810 an Zentrale», hat der Berti auf einmal gefunkt.

«810, hören Sie mich?» hat der fette Buttinger gebrüllt, praktisch: Wenn der Funk schon nicht geht, vielleicht hört er mich auf direktem Weg.

«Empfang tadellos», hat der Berti unschuldig geantwortet.

«Standort?» hat der fette Buttinger gebrüllt.

«Simmeringer Hauptstraße.»

Der Brenner hat es gar nicht glauben können, wie der kleine Berti den fetten Buttinger nach Strich und Faden verarscht hat. Wie er das eingefädelt hat, daß er so unauffällig wie möglich den neuen Standort vom Junior durchfunken kann.

«Einrücken», hat der fette Buttinger gefunkt. Aber im nächsten Moment Notruf für den kleinen Berti: «810! Fahren Sie einsatzmäßig Süd-Ost-Tangente. Schwerer 14! Der Notarztwagen ist unterwegs!»

Und damit hat der Brenner die Hilfe vom kleinen Berti natürlich vergessen können. Weil du kannst nicht auf der Autobahn ein paar Leute verrecken lassen, nur weil du ein bißchen Detektiv spielen willst. Und schließlich hat weder der Berti noch der Buttinger wissen können, daß beim Lungauer im 590er auch gerade ein paar Sekunden über Leben und Tod entscheiden.

Der Brenner ist mit einem unglaublichen Affenzahn die Gudrunstraße hinaufgeprescht. Wie der Berti auf die Süd-Ost-Tangente geschickt worden ist, war er zwei Kilometer von der Simmeringer Haupt entfernt, und wie er in die Simmeringer Haupt eingebogen ist, hat er noch den Berti im Rückspiegel wegfahren gesehen.

Und vor lauter Rückspiegelschauen wäre er fast dem Junior in den 590er gekracht. Weil der Brenner ist natürlich in seiner Aufregung davon ausgegangen, daß der Junior einsatzmäßig unterwegs ist. Aber der Junior ist ganz gemächlich die ausgestorbene Simmeringer Haupt Richtung Zentrum hinuntergetuckert.

Jetzt natürlich das Langsamfahren doppelt bedrohlich, praktisch elegantes Leichenwagentempo.

Der Brenner hat zum Herrn Oswald nur gesagt: «Sie bleiben einfach im Wagen sitzen.»

«Und was machen Sie?»

Die Antwort hat sich der Herr Oswald gleich selber anschauen können. Und zwar ganz direkt, ohne Scheibe dazwischen, wie du es heute als Voyeur im Grunde genommen gewöhnt bist.

Weil die Windschutzscheibe hat es zerrissen, daß sie den beiden nur so um die Ohren geflogen ist. So brutal hat der Brenner den 590er geschnitten und in die Auslage vom Solarium *Magic Moment* gedrängt. Die funkelnden Auto- und Schaufensterscherben sind durch die Luft gespritzt wie bei der reinsten Wunderkerzenexplosion und haben die triste Simmeringer Hauptstraße wirklich für einen Moment verzaubert.

Im nächsten Moment ist der Brenner aus seinem Wagen gesprungen und hat die Heckklappe vom 590er aufgerissen, in dem die Abgase schon gestanden sind wie eine Wand.

«Was ist mit Ihnen?» hat er den Lungauer angeschrien, der zusammengesunken wie immer dagesessen ist.

Aber der Lungauer hat nicht geantwortet. Der Brenner hat sich über ihn gebeugt und ihn gerüttelt, aber der Lungauer war völlig weggetreten.

Und im nächsten Moment hat der Junior von außen die Heckklappe zugesperrt. Und dann hat sich das Auto wieder in Bewegung gesetzt. Aber nicht vorwärts. Und nicht rückwärts. Sondern das Auto hat angefangen, sich langsam im Kreis zu drehen.

Und im nächsten Moment hat der Brenner sich übergeben müssen. Und im nächsten Moment hat er gewußt, daß er im nächsten Moment bewußtlos sein wird.

Durch die dicke Glasscheibe, die den Transportraum von der Fahrerkabine trennt, hat er noch gesehen, wie der Junior den Rückwärtsgang einlegt und versucht, aus dem *Magic Moment* auszuparken.

Im Umfallen hat er sich noch einmal an dem Metallgalgen aufgefangen, an dem der Tropf befestigt wird. Aber der Metallgalgen ist gleich aus der Verankerung gebrochen. Jetzt hat der Brenner noch einmal versucht, die Trennscheibe mit dem Metallgalgen einzudreschen. Aber so was ist dem Brenner überhaupt noch nie passiert. Weil heute ist der Metallgalgen aus Gummi gewesen! Und heute sind seine Arme Gummi-Arme gewesen!

Aber das Gummifenster hätte sich sowieso nicht einschlagen lassen, hat sich der Brenner getröstet und dabei zugeschaut, wie der Junior immer noch versucht hat, aus dem *Magic Moment* auszuparken.

Und im nächsten Moment hat es so gekracht, daß der Brenner in seinem Dusel gedacht hat: einen schönen Gruß vom Getriebe. Obwohl er noch nie ein Getriebe gehört hat, das derart gekracht hat. Als hätte er statt eines Trommelfells die riesige Auslagenscheibe vom *Magic Moment* im Ohr, die es aber unter der Spannung des viel zu kleinen Ohres auf einmal in hunderttausend Splitter zerfetzt.

Egal wie du den Gang hineinwürgst, so kann ein Getriebe gar nicht krachen, hat der Brenner überlegt. Und vielleicht kommt es von der Vergiftung, daß ich das Getriebe derart laut krachen höre. Vielleicht schärft das Gift mein Gehör so unglaublich, kurz bevor es mein ganzes Nervenkostüm in hunderttausend Splitter zerreißt.

Oder fährt der Junior womöglich einfach voll in den 740er hinein. Fackelt der womöglich nicht lang mit Ausparken herum. Schiebt der womöglich einfach wie der reinste Schneepflug den 740er auf die Seite. Aber andererseits: Wenn ein Auto in ein anderes kracht, dann kracht es zwar gewaltig. Aber es kann einem doch unmöglich so *Magic-Moment*-mäßig das Trommelfell zerbröseln.

Vielleicht kracht überhaupt nichts, hat sich der Brenner getröstet: Weder das Getriebe kracht, noch der 740er kracht, und ich höre nur meine vergifteten Organe krachen, während ich den Löffel abgebe.

Womöglich ist das Jenseits so ein lauter Stadtteil, daß mir deshalb der Schädel dröhnt, als ob sie mich im Stephansdom an die große Glocke gehängt hätten, an die berühmte Pummerin aus dem Silvesterfernsehen.

Du darfst dem Brenner nicht böse sein, daß er in der Situation ein bißchen hysterisch geworden ist. Es stimmt schon, er hätte damit rechnen müssen, daß ihn der Junior einsperrt. Trotzdem: selber schuld oder nicht, im Brenner seiner Haut wärst du vielleicht auch nicht komplett ruhig geblieben.

Aber andererseits Vorteil von dem Gift auch wieder nicht zu leugnen, weil er hat jetzt seine gebrochene Rippe überhaupt nicht mehr gespürt.

Und was die Glocke betrifft, die bei uns immer zum Jahreswechsel im Fernsehen läutet, habe ich meine eigene Theorie, warum ihm die jetzt eingefallen ist, paß auf. Seine Pistole ist ja eine *Glock* gewesen, und jetzt, wo er gemeinsam mit dem Lungauer mit Riesenschritten auf das Lebensende zumarschiert ist, hat er vielleicht aus einer gewissen Solidarität heraus damit angefangen, auch die Wörter durcheinanderzubringen.

Was ich sagen will: Ich glaube, er hätte sich einfach seine *Glock* herbeigewünscht. Mit seiner Pistole hätte er die Trennscheibe zur Fahrerkabine bestimmt kaputtschießen können. Aber leider. Er hat die *Glock* gestern noch eigens aus seiner Uniformtasche genommen, weil sie ihm so gemein auf die gebrochene Rippe gedrückt hat.

Eigentlich zum Verzweifeln, aber der Brenner trotzdem wieder ein bißchen Hoffnungsschimmer. Weil jetzt ist ihm die Luft schon wieder ein bißchen besser vorgekommen.

Vielleicht kommt durch die zerspringende Scheibe der Sichtverbindung ein bißchen frische Luft aus dem Führerhaus herein, hat sich der Brenner in seinem Abgasrausch überlegt. Vielleicht ist es die zerberstende Scheibe, die so einen Krach macht. Vielleicht verwechsle ich nur die Wörter.

Vielleicht sage ich nur Schädel zu dem Ding, das jetzt durch die zerberstende Trennscheibe hereindonnert und so an die Hecktüren des Rettungsautos kracht, daß das ganze Auto dröhnt wie die berühmte Silvester-Pummerin. Und daß das ganze Auto dunkel wird von dem Blut, das herumspritzt wie in diesen Turbo-Orangenpressen, wo du zehn Blutorangen hineingibst, und eine Sekunde später hast du einen Liter Blutorangensaft.

Weil das bißchen Kopf, was vom Junior noch dagewesen ist, ist wirklich wie eine ausgelutschte Orangenschale an der Hecktür langsam zu Boden gerutscht. Und der Schnurrbart natürlich, ich möchte nur soviel sagen: Der hat ausgesehen, als hätte jemand versucht, daran eine Bierflasche aufzumachen.

Und eines muß ich ganz ehrlich sagen. Bei allem, was man gegen den Junior einwenden kann: Betrug und Morde und zu guter Letzt auch noch den Bimbo erwürgt. Aber daß er mehr

Hirn gehabt hat als die beiden Kamikaze-Fahrer vom Gaudenz-dorfer Gürtel zusammen, das hat man auf den ersten Blick ge-sehen.

Aber viel hat der Brenner natürlich nicht gesehen. Zuerst hat ihm das Gift die Augen zugedrückt, und dann hat ihm der Glockenlärm der Autokarosserie die Augen regelrecht einge-drückt. Und wie er sie wenigstens wieder einen Spaltweit auf-gebracht hat, ist im Spalt ein Bild aufgetaucht, gegen das ihm das Hirn auf der Heckklappe fast normal vorgekommen ist.

Weil der Herr Oswald ist hinter der scheibenlosen Sichtver-bindung auf dem Beifahrersitz gekniet. Und in beiden Händen hat er den Schweizerkracher vom Bimbo gehalten. Er hat so ge-zittert, daß der Brenner gefürchtet hat, der Schweizerkracher geht ihm versehentlich noch ein zweites Mal los. Und wirklich kein Wunder, daß der Herr Oswald schockiert war. Weil so ein Pech mußt du einmal haben! Sein Leben lang nur zugeschaut und dann beim ersten eigenen Schuß gleich ein derartiger Voll-treffer, daß sich der Junior-Schädel durch die Trennscheibe ver-abschiedet, da muß ich ganz ehrlich sagen: Hut ab!

Und ganz leise hat man auf einmal aus dem 740er herüber die Kassette gehört, die die Klara für den Brenner vor dreißig Jahren in Puntigam zusammengestoppelt hat:

«O Haupt voll Blut und Wunden, voll Schmerz und voller Hohn!
O Haupt zum Spott gebunden mit einer Dornenkron.»

Du darfst eines nicht vergessen. Der ganze 590er hat ja von dem Schuß immer noch gesungen wie dieser asiatische Gong, bevor der Kinofilm anfängt. Aber eben nicht, als würde der Brenner im Kino sitzen, sondern als würde er mitten im Gong sitzen!

Und zu diesem Asiatengong jetzt der Straßenlärm dazu und

das aufgeregte Schnattern der Schaulustigen und das Hupen aus allen Richtungen, als wären alle Wiener gleichzeitig zum Donauinselfest aufgebrochen. Das hat sich alles zu einer Klanglawine vermischt, als würde jemand dem Brenner regelrecht das Trommelfell über die Ohren ziehen. Und aus dem Hintergrund immer noch die ganze Zeit der Klara-Chor:

«O Haupt! Sonst schön gezieret mit höchster Ehr und Zier.
Jetzt aber höchst schimpfieret, gegrüßet seist du mir.»

Der Brenner hat dem Herrn Oswald in die Augen geschaut, und der Herr Oswald hat dem Brenner in die Augen geschaut, und der Chor hat gesungen, und die Autofahrer haben gehupt, und die Neugierigen haben das Auto umringt, und ein paar Vorlaute haben sogar ihre Köpfe bei der offenen Beifahrertür hereingesteckt und sind sofort wieder weg gewesen, wie sie den gefährlich schwankenden Schweizerkracher gesehen haben, und der Herr Oswald hat nichts gesagt, und der Brenner hat nichts gesagt, und der Lungauer hat nichts gesagt, und der Junior hat sowieso nichts mehr gesagt, und der Chor hat gesungen:

«Du edles Angesichte, dafür sonst schrickt und scheut
das große Welt-Gewichte, wie bist du so bespeit?
Wie bist du so erbleichet? Wer hat dein Augenlicht,
dem sonst kein Licht nicht gleichet, so schändlich zugericht?»

Ganz weit in der Ferne hat der Brenner den Chor nur gehört. Und noch ein bißchen ferner hat er die Polizeisirenen gehört, die sich jetzt – ich möchte fast sagen, als Tüpfelchen auf dem i – auch noch in das wunderbare Musikerlebnis gemischt haben.

«Die Farbe deiner Wangen, der roten Lippen Pracht
ist hin und ganz vergangen. Des blassen Todes Macht
hat alles hingenommen, hat alles hingerafft.»

Während der Chor aber gleich fern geblieben ist, sind die Polizeisirenen näher gekommen. Und der Brenner hat schon gespürt, wie die Sirenen den Chor jetzt und jetzt überholen werden. Aber noch nicht. Noch ist der Chor näher gewesen. Noch haben die Sirenen den Chor nicht überholt.

Und das Geschnatter der Schaulustigen ist näher als der Chor gewesen. Und das Schnaufen vom Herrn Oswald ist näher als das Geschnatter gewesen. Und das Schnarchen vom Lungauer ist näher als das Schnaufen vom Herrn Oswald gewesen. Das asiatische Gongsummen ist näher als das Schnarchen gewesen, und das betäubende Herzklopfen, als hätte ein Schlagzeuger seine Baßtrommel ausgerechnet im Ohr vom Brenner aufgestellt, ist näher als der asiatische Gong gewesen. Der Brenner hat zwar noch nie so ein wunderbares Musikerlebnis gehabt, aber er hat sich darauf eingestellt, daß es sein letztes ist, sein wunderbares Ertaubungserlebnis, und daß er nie wieder etwas hören wird, aber für eine Sekunde hat er noch gehört:

«Ich danke dir von Herzen, o Jesu, liebster Freund,
für deines Todes Schmerzen, da du's so gut gemeint.»

Und dann hat der Brenner nichts mehr gehört von der Musik. Nur noch diesen Knall, der hundertmal näher war als die Herztrommel in seinem Ohr. Aber chormäßig absolute Ruhe. Weil der Herr Oswald hat mit einem einzigen Schuß den ganzen Chor totgeschossen.

«Der einzige Wagen mit Quadrophonie», hat der Brenner geschrien, weil wenn du heute schlecht hörst, redest du automatisch ein bißchen lauter, «und Sie schießen sie in Stücke!»

Der Herr Oswald hat nichts gesagt. Er hat nur den Schweizerkracher fallen lassen.

«Aufpassen!» hat der Brenner geschrien.

Der Herr Oswald hat nichts gesagt.

«Wie geht es Ihnen?» hat der Brenner den Lärm in seinen Ohren überschrien. Weil es hätte ihn wirklich interessiert, wie sich ein Mensch fühlt, der sein Leben lang nur zugeschaut hat und dann gleich so brutal ins Geschehen eingreift.

Aber der Herr Oswald hat nichts gesagt und niemanden in sich hineinschauen lassen.

«Gut», hat statt dessen jemand hinter dem Brenner geantwortet. Der Brenner hat im ersten Moment geglaubt, das Hirn auf der Heckklappe redet mit ihm. Aber natürlich, es war nur der Lungauer, der von dem Schuß, mit dem der Herr Oswald die Quadrophonie-Anlage erschossen hat, endgültig aufgewacht ist.

«Grüß Gott», hat der Lungauer in seiner höflichen Art zum Brenner gesagt.

«Wenn ich ihn treffe», hat der Brenner geantwortet.

Aber heute ist der Lungauer zu müde zum Lachen gewesen.

17

Zwei Tage haben sie den Brenner bei der Polizei fest-
gehalten, bis sie ihm die Geschichte geglaubt haben.
Vielleicht ist auch ein bißchen Rache dabeigewesen.
Daß sie ihn so lange nicht weggelassen haben, weil er die
Morde geklärt hat und nicht sie. Praktisch es dem Ex-Kollegen
ein bißchen zeigen.

Und wer weiß, wie lange sich die Sache ohne das silberne
Armkettchen vom Junior noch hingezogen hätte. Aber Gott sei
Dank haben sie das Armkettchen so genau untersucht. Da ist
auf der Innenseite LOVE eingraviert gewesen, und das Blut
muß doch ein bißchen gespritzt sein, wie der Junior dem
Bimbo in der 740er-Garage die Halskette zugezogen hat. Weil
in den gravierten Buchstaben haben sie im Kripolabor noch ein
bißchen getrocknetes Bimbo-Blut gefunden.

Jetzt ist der Brenner am Sonntag abend wieder als freier
Mann auf der Straße gestanden.

Er hat sich in die U1 gesetzt und ist auf die Donauinsel gefahren. Dritter Festtag, und in der Zeitung hat er gelesen, daß
an den beiden ersten Tagen schon über eine Million Besucher
auf der Insel waren.

Wie er beim Konferenzzentrum ausgestiegen ist, hat er nur
ein paar Schritte machen können, und schon war er in die Menschenmassen eingeschlossen. Das mußt du dir einmal vorstellen: Normalerweise fährst du auf die Insel hinaus, weil du dich
auf den zehn Kilometern ein bißchen bewegen willst. Aber
beim Inselfest wie die Ölsardinen.

Die Veranstaltungszelte sind nur fünfzig Meter voneinander
entfernt, aber du brauchst eine Stunde, um von einem zum an-

deren zu kommen. Und unterwegs steigst du fünfmal auf eine Käsekrainer oder in einen Senfpatzen, alle zehn Meter schüttet dir jemand ein Bier über den Kopf, und es kommt dir schon komisch vor, wenn dir einmal kurz niemand auf die Zehen steigt.

Aber ob du es glaubst oder nicht: Dem Brenner hat das heute getaugt. Die zwei Tage im Untersuchungsgefängnis hat er zwar wesentlich mehr Freiraum gehabt als jetzt auf der berühmten Naherholungsinsel, gar kein Vergleich. Aber irgendwie hat er jetzt die Nähe der Menschen gebraucht.

Der größte Vorteil war, daß er nicht umfallen hat können. Weil beim Donauinselfest stehen dir die Leute überall so nahe, daß du unmöglich hinfallen kannst. Das ist ja andererseits auch das Gefährliche. Weil ein bewußtloser Besoffener soll eigentlich umfallen, das ist ja eine Schutzfunktion des Körpers, und deshalb gibt es immer so viele Tote beim Fest, weil die Bewußtlosen nicht umfallen.

Der Brenner war aber nicht betrunken, er war nur so müde, weil er die beiden Tage in der Untersuchungszelle nicht geschlafen hat. Jetzt, nicht daß du glaubst, Folter. Obwohl natürlich die Wiener Polizei ein bißchen berühmt ist für gewisse Methoden. Ein bißchen der Wasserkübel. Da studieren die Wiener Polizisten gern die kritischen Folterberichte aus Lateinamerika, und dann probieren sie es auch aus, nicht böse gemeint, sondern mehr aus einer kindlichen Mentalität heraus.

Aber beim Brenner alles korrekt abgelaufen, da kann ich dich beruhigen. Sogar einen Arzt für seine gebrochene Rippe haben sie kommen lassen. Nicht geschlafen hat er aus einem ganz anderen Grund, praktisch Eigenfolter. Weil er hat nicht aufhören können, immer wieder über die ganze Geschichte nachzudenken.

Wie der Junior mit den Testamentsfälschungen versucht hat, die Nummer eins im Rettungswesen zu bleiben. Wie sie dann die Gangart verschärft und den Lungauer ausgeschaltet haben.

Wie ihnen aber immer noch die Irmi lästig geworden ist. Wie der Bimbo seinen Verbündeten, den Stenzl von der Blutbank, für fünf Uhr zu der Kußszene mit der Irmi hinbestellt hat. Und wie er dann eiskalt durch den Stenzl durchgeschossen hat.

Wie dann der Bimbo so übermütig geworden ist, daß der Junior beschlossen hat, den ganzen Fall zu bereinigen, und dem Bimbo das Goldkettchen zugezogen hat. Und wie er versucht hat, den Brenner und den Rettungsbund und die Kripo gegeneinander auszuspielen, damit gar niemand auf die Idee kommt, ihn selber zu verdächtigen.

Ich weiß nicht, ist es der Schock gewesen, daß der Brenner nicht hat aufhören können mit dem Nachdenken? Weil wenn dir ein Kopf direkt vor der Nase vorbeizischt, ist auch nicht ganz alltäglich. Oder war es auch noch die Nachwirkung vom Gift im 590er?

Er hat gehofft, daß er sich auf der Donauinsel, zwischen Hunderttausenden normalen Leuten eingezwickt, schnell wieder normalisiert. Er hat sich von einem Veranstaltungszelt zum anderen weiterschieben lassen. Konzerte, Theater, wo es ihn gerade hinverschlagen hat, hat er zugeschaut, aber richtig wahrgenommen hat er nichts. Außer den Hunderten Kreuzrettungs- und Rettungsbundwägen, die überall einsatzbereit gestanden sind und immer wieder mit Blaulicht durch die Leute gepflügt sind. Aber keiner seiner Kollegen hat ihn in der Masse erkannt.

Gegen Mitternacht ist als Schluß- und Höhepunkt ein Wiener Rocksänger aufgetreten, und auf einmal hat der Brenner gewußt, an wen ihn der fette Buttinger die ganze Zeit so erinnert hat.

Der Brenner hat aber nicht sehr konzentriert zugehört. Er hat sich einfach von den Menschenmassen ziellos durch die Gegend schieben lassen. Obwohl ich sagen muß, da muß ihn sein Gefühl ein bißchen getäuscht haben. So ziellos kann es auch wieder nicht gewesen sein. Ob da nicht doch auch der Wille vom Brenner ein bißchen die Menschenmassen beeinflußt hat, daß er auf einmal direkt vor dem Rettungsbundzelt gestanden ist.

Daß er auf einmal Aug in Aug mit dem Stenzl gestanden ist.

Der Stenzl hat den Brenner angestarrt, und der Brenner hat den Stenzl angestarrt. Aus höchstens zwei Metern Entfernung. Aber keiner hat ein Wort gesagt. Nicht einmal ein Zeichen des Erkennens. Und ich bin mir heute noch nicht sicher, ob der Stenzl den Brenner gesehen hat oder nicht. Weil mitten in so einer Menschenmasse kannst du ja deinen besten Freund aus zwei Metern Entfernung übersehen.

Und der beste Freund vom Stenzl ist der Brenner natürlich sowieso nicht gewesen. Auch wenn der Brenner den Mord an seinem Bruder aufgeklärt hat. Auch wenn der Stenzl mittlerweile gewußt hat, daß er den Brenner falsch verdächtigt hat. Aber wer läßt sich schon gern einen Tag lang mit drei Betonmännern in den eigenen Keller sperren.

Obwohl es dem Rettungsbund-Chef bestimmt nicht geschadet hat, im Gegenteil. Er hat eher ausgesehen, als wäre er sicher, daß er jetzt endgültig die Nummer eins im Rettungswesen ist. Triumphierend wie der reinste Rettungsadmiral ist er mitten in dem Meer von Besoffenen gestanden und hat den Brenner angestarrt.

Der Brenner hat überlegt, was er zu ihm sagen soll.

Gut, daß Sie mich von den Watzek-Arbeitern zusammenschlagen haben lassen, könnte ich sagen, hat er gedacht.

Aber der Brenner war immer noch unsicher, ob der Rettungsbündler ihn überhaupt sieht.

Wenn Ihre Leute mich nicht in den Kreuzrettungshof geliefert hätten, dann hätte mich der Junior nicht zum Strafdienst eingeteilt, könnte ich sagen. Dann hätte ich die Klara nicht getroffen. Das war meine Freundin im Puntigamer Gymnasium, die mir einmal eine Kassette aufgenommen hat.

Aber das erzähle ich ihm lieber nicht, hat sich der Brenner gesagt. Er war immer noch nicht sicher, ob der Stenzl ihn sieht.

Gut, daß Ihre Leute mich zusammengeschlagen haben, sonst hätte der kleine Berti nicht nachgeforscht, wer mich zusammengeschlagen hat, könnte ich sagen, hat der Brenner überlegt. Dann hätte ich den Berti nicht im *Golden Heart* gesucht. Dann hätte mir die Angelika nicht vom Lungauer erzählt. Und dann wüßten wir heute noch nicht, daß der Junior Ihren Bruder und die Irmi und den Bimbo auf dem Gewissen hat.

So fange ich an, hat der Brenner beschlossen.

Aber im selben Moment hat der Stenzl auf einmal wie ein Irrer losgebrüllt.

Das hat allerdings nur einem Fixer gegolten, der auf eine Rettungsbundstoßstange gekotzt hat, und dann ist der Brenner schon wieder von der Masse weitergetrieben worden, und er hat noch ein bißchen dem fetten Buttinger bei seinem Konzert zugehört.

Nach dem Konzert sind die Leute langsam weniger geworden, und der Brenner hat sich zu den Tonnen Coladosen und Bierbechern und Kartontellern und Hundescheiße neben die Besoffenen ins Gras gelegt.

Aufgewacht ist er erst, wie am frühen Morgen die Reinigungsmaschinen den Mist von der Insel geputzt haben. Er hat zugeschaut, wie die Arbeiter den Müll eingesammelt und in die orangen Müllwagen geworfen haben. Und er hat sich gewundert, wie leicht die Bürstenfahrzeuge die Asphaltwege saubergeschrubbt haben.

Ein Müllmann hat vor seiner Nase eine Sonntags-*Kronenzeitung* mit einem Eisenpickel aufgespießt und in seinen schwarzen Müllsack gestopft. Es war die Ausgabe, in der der Brenner gestern gelesen hat, daß die Kreuzrettung noch diese Woche einen neuen Chef bekommt, und zwar den bisherigen Chef der Vorarlberger Kreuzrettung, praktisch völliger Neubeginn.

Vorübergehend hat der Freiwilligenchef das Kommando übernommen, ein pensionierter Stadtrat. Ein höflicher Mensch, der den Brenner sogar in der Untersuchungshaft besucht hat.

Der Brenner ist noch eine halbe Stunde im feuchten Gras liegengeblieben und hat zugeschaut, wie die Müllfahrzeuge und die Müllmänner die Insel mir nichts, dir nichts saubergemacht haben. Auf den Feldern haben sich vereinzelte Alkoholleichen erhoben und langsam auf den Heimweg gemacht, irgendwie ein ergreifender Anblick, fast wie die Flamingos in einem Tierparadies.

Der Freiwilligenchef hat dem Brenner eine einvernehmliche Lösung des Dienstverhältnisses vorgeschlagen, und der Brenner hat sofort eingewilligt. Noch drei Monate Gehalt, ohne zu arbeiten, das ist nicht schlecht. Und in drei Monaten findet sich schon was. Außerdem Sommer, ideale Zeit für Arbeitslosigkeit.

Der Freiwilligenchef hat ihn nur gebeten, daß er nicht mehr in seine Dienstwohnung kommt. Weil jetzt für die Moral der Mannschaft wichtig, daß so schnell wie möglich Gras über die Sache wächst. Der Freiwilligenchef hat versprochen, daß er die paar Habseligkeiten vom Brenner bei einer Spedition lagert, alles auf Kreuzrettungskosten. Und für ihn hat er ein Zimmer im Hotel Adlon im zweiten Bezirk reserviert.

Dort ist der Brenner um halb zehn angekommen. Alles zu Fuß gegangen, bestimmt zehn Kilometer. Und zwischendurch ein Bier am Mexikoplatz. Der Hotelportier hat ihm ein Kuvert gegeben, in dem der Brenner 50 000 Schilling gefunden hat. Und schönen Dank vom Lanz und der Angelika.

Du darfst nicht vergessen, daß der Lanz durch die Aktion seine ganzen Spielschulden losgeworden ist. Der Junior hat das Geld, das er dem Lanz bezahlt hat, nicht mehr zurückfordern können. Da hat der Brenner die 50 000 Schilling mit gutem Gewissen eingesteckt.

Er hat sich aufs Bett gelegt, aber natürlich große Enttäuschung. Weil ein muffiges Hotelzimmer kein Vergleich zum taufrischen Gras auf der Insel. Am liebsten wäre er gleich wieder aufgestanden und auf die Insel gefahren. Aber er war einfach zu müde, und außerdem: Man kann ein schönes Erlebnis sowieso nicht wiederholen.

Man kann überhaupt nichts wiederholen, hat sich der Brenner gesagt. Und ich werde die Klara heute nicht anrufen, hat er sich gesagt. Und morgen auch nicht. Du sollst nicht grübeln.

Wie er die Augen zugemacht hat, hat er wieder die Flotte der orangen Müllfahrzeuge und die orange leuchtenden Müllmänner gesehen, die den ganzen Mist einfach weggezaubert haben.

Und dieses Misterlebnis und das unglaubliche Musikerlebnis vom Freitag sind ihm im Einschlafen für einen Moment wie ein und dasselbe Erlebnis vorgekommen. Und ihm ist eingefallen, daß es immer heißt, beim Sterben hätte der Mensch die wunderbarsten Musikerlebnisse. Aber er hat bezweifelt, daß der Junior, wie sein Kopf durch die Trennscheibe vom 590er hereingeflogen ist, auch so ein wunderbares Musikerlebnis gehabt hat wie er.

Beim Überleben hat man die wunderbarsten Musikerlebnisse, nicht beim Sterben, hat sich der Brenner im Einschlafen gesagt. Ein guter Gedanke, hat er noch gedacht. Beim Überleben, nicht beim Sterben. Diesen Satz muß ich mir merken. Aber wie er am Abend aufgewacht ist, war er schon froh, daß er seinen Namen noch gewußt hat.

B 13/2

Wolf Haas

«Wolf Haas schreibt die komischsten und geistreichsten Kriminalromane.» Die Welt

Brenners erste Fälle
Auferstehung der Toten
Der Knochenmann
3-499-23705-9

Auferstehung der Toten
Roman
«Ein erstaunliches Debüt. Vielleicht der beste deutschsprachige Kriminalroman des Jahres.» (FAZ) Ausgezeichnet mit dem Deutschen Krimi-Preis 1997.
3-499-22831-9

Der Knochenmann
Roman. 3-499-22832-7

Komm, süßer Tod
Roman
Ausgezeichnet mit dem Deutschen Krimi-Preis 1999. 3-499-22814-9

Silentium!
Roman
Ausgezeichnet mit dem Deutschen Krimi-Preis 2000. 3-499-22830-0

Ausgebremst
Der Roman zur Formel 1
3-499-22868-8

Wie die Tiere
Roman
Der beste Freund des Hundes ist der Pensionist – und das Kleinkind sein natürlicher Feind ... «So wunderbar, dass wir beim Finale weinen müssten, hätten wir nicht schon alle Tränen vorher beim Lachen verbraucht.» (Die Zeit)

3-499-23331-2

Weitere Informationen in der Rowohlt Revue oder unter www.rororo.de